大学·中庸

人性的试炼

张水金——编撰

九州出版社
JIUZHOUPRESS

图书在版编目（CIP）数据

人性的试炼 ：大学·中庸 / 张水金著. -- 北京 ：九州出版社，2017.7
ISBN 978-7-5108-5637-2

Ⅰ. ①人… Ⅱ. ①张… Ⅲ. ①儒家 Ⅳ. ①B222.1

中国版本图书馆CIP数据核字(2017)第173869号

人性的试炼：大学·中庸

作　　者	张水金
责任编辑	李黎明
出版发行	九州出版社
地　　址	北京市西城区阜外大街甲 35 号（100037）
发行电话	(010)68992190/3/5/6
网　　址	www.jiuzhoupress.com
电子信箱	jiuzhou@jiuzhoupress.com
印　　刷	北京盛通印刷股份有限公司
开　　本	787 毫米 ×1092 毫米　32 开
印　　张	11.25
字　　数	220 千字
版　　次	2017 年 11 月第 1 版
印　　次	2017 年 11 月第 1 次印刷
书　　号	ISBN 978-7-5108-5637-2
定　　价	58.00 元

【总序】

用经典滋养灵魂

龚鹏程

每个民族都有它自己的经典。经，指其所载之内容足以做为后世的纲维；典，谓其可为典范。因此它常被视为一切知识、价值观、世界观的依据或来源。早期只典守在神巫和大僚手上，后来则成为该民族累世传习、讽诵不辍的基本典籍。或称核心典籍，甚至是“圣书”。

佛经、圣经、古兰经等都是如此，中国也不例外。文化总体上的经典是六经：《诗》、《书》、《礼》、《乐》、《易》、《春秋》。依此而发展出来的各个学门或学派，另有其专业上的经典，如墨家有其《墨经》。老子后学也将其书视为经，战国时便开始有人替它作传、作解。兵家则有其《武经七书》。算家亦有《周髀算经》等所谓《算经十书》。流衍所及，竟至喝酒有《酒经》，饮茶有《茶经》，下棋有《弈经》，相鹤相马相牛亦皆有经。此类支流稗末，固然不能与六经相比肩，但它各自代表了在它那一个领域中的核心知识地位，却是很显然的。

我国历代教育和社会文化，就是以六经为基础来发展的。直到清末废科举、立学堂以后才产生剧变。但当时新设的学堂虽仿洋制，却仍保留了读经课程，以示根本未隳。辛亥革命后，蔡元培担任教育总长才开始废除读经。接着，他主持北京大学时出现的“新文化运动”更进一步发起对传统文化的攻击。趋势竟由废弃文言，提倡白话文学，一直走到深入的反传统中去。论调越来越激烈，行动越来越鲁莽。

台湾的教育、政治发展和社会文化意识，其实也一直以延续五四精神自居，以自由、民主、科学为号召。故其反传统气氛，及其体现于教育结构中者，与当时大陆不过程度略异而已，仅是社会中还遗存着若干传统社会的礼俗及观念罢了。后来，台湾朝野才惕然憬醒，开始提倡“文化复兴运动”，在学校课程中增加了经典的内容。但不叫读经，乃是摘选《四书》为《中国文化基本教材》，以为补充。另成立文化复兴委员会，开始做经典的白话注释，向社会推广。

文化复兴运动之功过，诚乎难言，此处也不必细说，总之是虽调整了西化的方向及反传统的势能，但对社会普遍民众的文化意识，还没能起到警醒的作用；了解传统、阅读经典，也还没成为风气或行动。

二十世纪七十年代后期，高信疆、柯元馨夫妇接掌了当时台湾第一大报中国时报的副刊与出版社编务，针对这个现象，遂策划了《中国历代经典宝库》这一大套书。精选影响国人最为深远的典籍，包括了六经及诸子、文艺各领域的经典，遍邀名家为之疏解，并附录原文以供参照，一时朝野震动，风气丕变。

其所以震动社会，原因一是典籍选得精切。不蔓不枝，能体现传统文化的基本匡廓。二是体例确实。经典篇幅广狭不一、深浅悬隔，如《资治通鉴》那么庞大，《尚书》那么深奥，它们跟小说戏曲是截然不同的。如何在一套书里，用类似的体例来处理，很可以看出编辑人的功力。三是作者群涵盖了几乎全台湾的学术菁英，群策群力，全面动员。这也是过去所没有的。四，编审严格。大部丛书，作者庞杂，集稿统稿就十分重要，否则便会出现良莠不齐之现象。这套书虽广征名家撰作，但在审定正讹、统一文字风格方面，确乎花了极大气力。再加上撰稿人都把这套书当成是写给自己子弟看的传家宝，写得特别矜慎，成绩当然非其他的书所能比。五，当时高信疆夫妇利用报社传播之便，将出版与报纸媒体做了最好、最彻底的结合，使得这套书成了家喻户晓、众所翘盼的文化甘霖，人人都想一沾法雨。六，当时出版采用豪华的小牛皮烫金装帧，精美大方，辅以雕花木柜。虽所费不赀，却是经济刚刚腾飞时一个中产家庭最好的文化陈设，书香家庭的想象，由此开始落实。许多家庭乃因买进这套书，而仿佛种下了诗礼传家的根。

高先生综理编务，辅佐实际的是周安托兄。两君都是诗人，且侠情肝胆照人。中华文化复起、国魂再振、民气方舒，则是他们的理想，因此编这套书，似乎就是一场织梦之旅，号称传承经典，实则意拟宏开未来。

我很幸运，也曾参与到这一场歌唱青春的行列中，去贡献微末。先是与林明峪共同参与黄庆萱老师改写《西游记》的工作，继而再协助安托统稿，推敲是非、斟酌文辞。对整套书说不上有什么助益，自己倒是收获良多。

书成之后，好评如潮，数十年来一再改版翻印，直到现在。经典常读常新，当时对经典的现代解读目前也仍未过时，依旧在散光发热，滋养民族新一代的灵魂。只不过光阴毕竟可畏，安托与信疆俱已逝去，来不及看到他们播下的种子继续发芽生长了。

当年参与这套书的人很多，我仅是其中一员小将。聊述战场，回思天宝，所见不过如此，其实说不清楚它的实况。但这个小侧写，或许有助于今日阅读这套书的大陆青年理解该书的价值与出版经纬，是为序。

【导读】

人性的试炼

张水金

年轻时代，立志以儿童文学为志业。在开始编写《少年诗词欣赏》的同时，我也计划要编写一本《儿童四书》。

如今，寒暑数十易，《少年诗词欣赏》已两度修订，印行数十版，而这本有关四书的书还是没有着落。对我而言，《论语》和《孟子》故事很多，很容易深入浅出，并加以趣味化。但是《大学》和《中庸》的部分就不知如何是好，因为这两本书说的只是人生与政治的哲理，如何教孩子们读来既不吃力又感兴趣？

虽说数度尝试后又中止，但我的愿望还是潜伏着，伺机而动。现在我决定先为普罗大众和青少年，编撰这本导读《大学》和《中庸》的入门书。

本书五大特色

这本书除了可以为初学者扫除学习障碍，内容还有五个特色：

一、注解最详细：现有的《大学》《中庸》注释者，学问都很高，所以他们认为容易或理所当然的字眼或词汇，就会放过。我则为读者设身处地，找出所有可能的阅读障碍。几乎每一个字、词，都要不厌其烦地查阅好几本重要的辞书，找出最精当的注解，绝不人云亦云，连虚字也一个都不放过。正因为下了这种地毯式的搜索工夫，我也颇有一些独特的发现，提出了一些新观点。

二、解析求精要：我不作长篇累牍的探讨，但凡是关键性的词汇或观念，都要进一步深入探讨补充。相关论著的要点，也作适度的摘要。特别是内容相关的一些论争，都随机加以探讨。

三、修辞见文则：本来只是想找几段有修辞特色的文字作解析，没想到经过仔细研究，却发现无论《大学》或《中庸》，修辞类型都非常丰富，随处都是实用范例——难怪这些文字有其独特魅力！因此，我又多花了一些工夫，将这些修辞特色展现出来，帮助读者掌握二书的文理，并能欣赏文字之美。

四、会通全方位：《中庸》论学，重在“博学、审问、慎思、明辨、笃行”，现代人治学讲究活学活用与创新。我们读古书，也不能食古不化，而要能推陈出新，做到“创造性的转化”。所以，我除了古书（特别是四书、五经之间）的会通之外，特别着眼于现代意义的生活事例与科际整合，努力将心理学、物理学等相关观念注入其中。

五、诗歌会理趣：孔子非常重视“诗教”，认为“不学《诗》，无以言”，又说：“《诗》可以兴，可以观，可以群，可以怨。迩之事父，远之事君。多识于鸟兽草木之名。”因此《大学》、《中庸》

二书，引用文字以《诗经》为最多。本书延续这个传统，精选两汉以后出现的相关诗词，让读者在知性的理解之外，增加一些感性的共鸣，也得以体会《大学》和《中庸》的理趣。

麻雀变凤凰

《大学》和《中庸》本来只是《礼记》中的两篇文章。

《礼记》又称《小戴礼记》，是秦汉以前各种礼仪论著的选集。相传是西汉戴圣编纂，今本为东汉郑玄注本，共四十九篇。内容基本上是孔子弟子及其再传、三传弟子等所记，但也有汉代儒家的修改和增添，它是研究中国古代社会情况、儒家学说和文物制度的参考书。有关注解以东汉郑玄《礼记注》，唐孔颖达《礼记正义》最为重要。

宋朝大儒朱熹将《大学》和《中庸》这两篇文章由《礼记》抽出，与《论语》、《孟子》并列合编，从此儒家重要经典在“五经”之外，又多了“四书”。由于朱熹的《四书集注》从元仁宗时代开始（公元一三一一—一三二〇），是科举取士的主要考试科目，因此四书对中国文化产生的影响，逐渐凌驾五经。

《大学》的作者，有很多说法。程颐说它是“孔氏之遗书”，朱熹将它分为“经”一章和“传”十章两部分。认为“经”是曾参记述孔子的意思，是曾子所作，曾子是孔门弟子，独得孔教之宗；“传”是曾参的弟子依据曾子的看法所作记述。不过这只是一种合理的推测，并无坚实证据。

《中庸》的作者比较有谱，司马迁在《史记》中提及，子思被困于宋时，作《中庸》。郑玄也说过《中庸》是“孔子之孙子思伋作之，以昭明圣祖之德”。朱熹则在《中庸章句·序》中说：“中庸何为而作也？子思子忧道学之失其传而作也。”他又在注解中指出，真正为子思作品的是第一章、第十二章，和第二十一章到第三十三章，共计十五章。其余各章是引用孔子之言以释首章之义，有一点像《论语》的性质。不过司马迁所说的《中庸》是否就是今日所读的《中庸》，还不确定，而朱熹的说法也有一点想当然耳，没有得到学者一致的认同。

基本上，《礼记》的问题就是《大学》、《中庸》的问题。《礼记》的来历很难完全厘清，没有任何一篇有明确的作者，所以《大学》、《中庸》的作者也难明确断定。我们现在只能说，它们基本上是秦汉时期的儒家，以子思、孟子一派为主，集体整理、创作出来的，但是其中也有荀子思想的影响。

《大学》是入德之门

《大学》要旨，都已在“经文”章讲完。而经文章的内涵又可以浓缩为十七个字。

前面九个字是“明明德、亲民、止于至善”，被称为“三纲领”。它是大学的教育宗旨，也是儒家的教育理想目标。

后面八个字“格、致、诚、正、修、齐、治、平”就是所谓的“八条目”，分别代表格物、致知、诚意、正心、修身、齐家、治国、平天下。这是为实践三大纲领所必须走过的人生进修阶梯。八条目中，又以修身为枢纽，格、致、诚、正讲的是修身的方法，就是所谓“修己”，相当于“明明德”。而齐、治、平则是所谓“善群”，相当于“新民”。修己和善群的工夫都做好了，“止于至善”也就水到渠成了。

由于三纲领、八条目的提出，儒家思想得以提纲挈领，以十七个字尽之。南宋以后理学家讲伦理、政治、哲学，也以它为纲领。

佛教经典万千，其经髓就在二百六十余字的《般若波罗蜜多心经》中，成为领悟《般若经》的简易法门，也是领悟佛法的心法所在。儒家四书五经亦极繁复，但有此二百零五字的经文章，也可成为进入儒学殿堂的敲门砖。

我个人深获诵读观想《心经》之益，舍妹以之让小学生课前背诵，也能得到收心的效果。我因而想，《大学》的“经文”章，应可媲美《心经》，值得人人熟记心中，时时诵念。程颐说，《大学》为“初学入德之门”真有道理。

《中庸》是常理，也是“终极原理”

所谓“中”就是不偏不倚，恰到好处。所谓“庸”就是永不变易的常理。《中庸》的内容肯定“中庸”是道德行为的最高标准，并提出“诚者不勉而中，不思而得，从容中道，圣人也”。把“诚”看成是世界的本体，认为“至诚”则达到人生的最高境界。并提出“博学之，审问之，慎思之，明辨之，笃行之”的学习过程和认识方法。

以现代人的观点来读《中庸》，刚开始难免觉得其中有些虚玄成分，但细细品味，往往别有会心。一个“中”字，就涉及了宇宙的终极原理。一个“诚”字，像是道家的“道”，可以变化万千。当它提及“天命之谓性”时，其中有人性的深层结构与基因密码的影子；当它论及“尽人之性”，与我们现在所主张的“尽性教育”、“自我实现”及“多元智慧”无不相通；当它论及“天地之道”时，又与现代最先进的“大爆炸”、“演化论”若合符节。《中庸》内涵之丰富，实在远远超出我们的想象。所以朱子说：“善读者玩索而有得焉，则终身用之有不能尽者也。”

如果我们按照朱熹的说法，把《中庸》的第一章和第十二章视同“经文”，则前后不过一百二十九字，实在很容易就可以熟记胸中，要做到玩索而有得也就很容易了。

《大学》、《中庸》帮我们“日日新”

这本导读的书，就像是一本导游手册，目的不是提供答案，而是带领读者进入文本之中，一起去探索。我的最大任务就是帮读者扫除文字障碍，并适时提出背景说明。在准备这本导游手册过程中，我意外地发现，《大学》、《中庸》修辞形式之丰富，实非其他古籍所能及！这些发现已经呈现出来，作为研读《大学》、《中庸》的一个面向。我希望读者也会有自己的大发现！希望读者在阅读过程中，能把握两大原则：一是随时存疑，一是力求切己。最好能多买一两本同类的书，与本书比较异同，并形成自己的看法。有了看法就要将它内化，和自己原有的认知系统重新整合。就像计算机软件可以更新一般，我们脑海意识中的主要程序也要“日日新”，这样读书才有意义。

附记：

一、《大学》、《中庸》各有不同版本。为便初学，本书的文本采自较有系统、影响力较大的朱子《大学章句》与《中庸章句》，对于朱注尽量吸收进入详注，并保留部分原文。

二、《大学》、《中庸》文字，并非篇篇等值。学习者如能在重要篇章多下功夫，并反复玩索，则效益较大。所以，笔者提出一个分级方式。在较重要篇章的标题下标示一至五颗星，两书共计一百颗星。这当然是一种尝试性建议，学习者可随己意调整。

三、《中庸》标题，是笔者所加。它们不一定完全反映完整的章节要旨，而只是试图凸显部分内容的现代意义，作为导读的纲要。

目　录

【导读】人性的试炼……7

大　学

开宗明义：朱子《大学章句》前言……21

“经文”章　大学之道……24

传十章……56

中　庸

开宗明义：朱子《中庸章句》前言……149

第一章　人性密码……151

第二章　君子小人……162

第三章　终极理论……167

第四章　过犹不及……171

第五章　忧患意识……175

第六章　执两用中……178
第七章　自知之明……182
第八章　拳拳服膺……185
第九章　均衡人生……187
第十章　真正强者……190
第十一章　遵道而行……196
第十二章　广大精微……200
第十三章　同理之心……205
第十四章　居易俟命……211
第十五章　登高自卑……216
第十六章　面对未知……220
第十七章　大德受命……225
第十八章　基业传承……230
第十九章　慎终追远……238
第二十章　治国大法……244
第二十一章　双轨典范……279
第二十二章　能尽其性……283
第二十三章　渐修内化……287
第二十四章　至诚如神……291
第二十五章　自我实现……295
第二十六章　至诚无息……300
第二十七章　圣人之道……309

第二十八章　谨守本位……317
第二十九章　征信于民……326
第三十章　寻求标杆……333
第三十一章　最高境界……337
第三十二章　天下至诚……343
第三十三章　内敛含光……348

大 学

大学之道，在明明德，在亲民，在止于至善。

物格而后知至，知至而后意诚，意诚而后心正，心正而后身修，身修而后家齐，家齐而后国治，国治而后天下平。

开宗明义：朱子《大学章句》前言

子程子曰："《大学》，孔氏之遗书，而初学入德之门也。"于今可见古人为学次第者，独赖此篇之存，而《论》、《孟》次之。学者必由是而学焉，则庶乎其不差矣。

【语译】

程夫子说："《大学》是孔子留下来的著作，也是刚开始修习德性的入口。"现在我们可以看到古人学习的顺序和系统，就是因为有这一篇留下来，可以作为依靠。接下来才读《论语》和《孟子》。学习的人，一定要照这样的顺序来学习，也就能够把握住大方向了。

【详注】

子：对男子的美称，习惯上又多指有学问、道德或地位的人。如："孔子"、"孟子"。经典上的惯例，普通人称子，大抵加上姓氏；称自己业师，就在姓氏上再加"子"字，如朱熹称程颐为"子程子"。至于孔子，照例只称“子”，因为他“圣德著闻，师范来世，不须言其氏，人尽知之故也”。程子:（公元一〇三三——一〇七），名颐，字正叔，洛阳人，宋朝大儒，世称伊川先生。其学本于诚，主于穷理，认为“天下物都能穷，只是一理”。又主张“去人欲，存天理”。他和兄颢的学说，后来为朱熹（一一三〇—一二〇〇）所继承和发展，世称“程朱学派”。孔氏：孔子（公元前五五一—四七九）。次第：次序。庶乎：几乎、差不多。

【精解】

入德之门

朱子在《大学章句》前面说的这几句话，引发的问题，恐怕比提供的答案还要多。他先尊称自己的老师为“子”，接着反而称孔子为“孔氏”，似乎有点大不敬？其次，《大学》全文虽只有一千五百多字，却颇费思索，恐非初学者所能完全吸收。说它是“初学入德之门”是不是有点小看它了？《论语》是由简短语录组成，字字珠玑，容易理解，也富启发性。把它和《孟子》放在《大学》之后，是不是先后倒置？第三，说《大学》是孔子的遗书，也大有疑问。孔子一向“述而不作”，怎么会有这样的作品？内文中还有“子曰”和“曾子曰”，怎么会是孔子写的呢？所以，一般认为《大学》是秦汉时期儒家学者的集体创作，而这些儒者又与子思、孟子一派较有渊源。

其实把孔子称为孔氏的是程颐，这样称呼并无不敬。朱子只是引用而已。

《论语》并非有系统的论著，而是孔子的弟子或再传弟子搜集的语录，它有点像是一盘散开的珍珠，每一颗都是晶莹美丽。但因为没有贯穿成串，只有少数人懂得怎样把它们串成高贵的珍珠项链。对初学的人而言，《论语》比较欠缺系统。

《大学》则不然。它文字精要，条理井然，有一定的逻辑次序。所以一旦上口，便可反复诵念体会，余味无穷。如同成串的念珠，诵经千遍，仍然不会散落。

这个现象，我们只要举两本书的第一小节，便可看出端倪。《论语·学而》:“学而时习之，不亦悦乎？有朋自远方来，不亦乐乎？人不知而不愠，不亦君子乎？”孔子弟子编的这本书，以学习开端，非常切要。但是它又同时谈到交友与君子，有点跳跃式思考，难以聚焦。

《大学》开端则不然:“大学之道，在明明德，在亲民，在止于至善。”同样是学习的开宗明义，却能以四句话提出三大纲领，把全篇的主旨，完整而又有条理地呈现出来。

所以，《大学》初学者即使不免囫囵吞枣，但因为只有一千多字，很容易熟记心中，日后随时可以与《论语》、《孟子》等书互相印证，所以称之为“初学入德之门”有其道理。若是因而领悟“为学次第”，那就更加功德无量了。

“经文”章　大学之道

0-1（三纲领）

大学之道，在明明德，在亲民，在止于至善。

【语译】

大学的根本原则在于修明、发扬我们天赋的光明德性，在于不断自新向上，并引导同胞进步求新，一同达到最完美的境界。

【详注】

大学之道，

大学的根本原则，

大学：古代由国家办理的高等学校，与小学相对。之：的。道：原指道路。引申为法则、规律、道理。在此专指实现大学宗旨的教育内容和方法。

在明明德，

在于修明、发扬我们天赋的光明德性。

在：介词，在于。明明德：修明自己内在的光明德性。第一个“明”，是动词，彰显、修明。第二个“明”，是形容词，形容此内在的德性原本光明。明德：就是人类与生俱来的、光明澄澈的德性。《礼记·大学》郑玄注：“谓显明其至德也。”朱注：“明德者，人之所得乎天，而虚灵不昧，以具众理，而应万事者也。”以为“明德”是人们天赋本然的善性。儒家认为，人生来具有善良的德性，即明德。后天因为受到物质利益的蒙蔽，个人偏狭气质的拘束，明德受到压抑。所以要经过教育，使明德显露出来。

在亲民，

在于不断自新向上，并引导同胞进步求新，

亲民：“亲民”，就是“新民”，使每一个人都能革除原有坏习性（旧染之污），不断精进，达到完美。新：革新、更新。民：民众，百姓。

在止于至善。

在于透过对明明德和亲民的追求，达到最完美的境界。

止：至、达到、停息、居住。在此是“自处而不迁”之意。至善：最上、最高的善，或善的最高境界。至：极、最。善：美好、适宜。

【精解】

大学

“大学”一词在这里有四层含意。第一，它原本是《礼记》里面一篇文章的题目，朱熹将它独立列入“四书”之一所以又成了书名。第二，它是指古代由国家办理的高等学校，与小学相对。

古代教育内容为礼、乐、射、御、书、数，合称“六艺”；小学以洒扫应对及书、数为主，大学以成就品德，敦化群众，掌理国政及礼、乐、射、御为主。第三，大学也可以解释为“大人之学”。大人，指高位之人（贵族），也指德性高尚的人。第四，大学有“博学”的意思。《礼记·大学》注：“大学者，以其博学而可以为政也。”

大人之学

朱子说：“大学者，大人之学也。”朱子所谓“大人”，就是孟子所说的“大人者，不失其赤子之心也”的“大人”。孟子尝说，乐正子是善人，是信人，又解释道：“可欲之谓善，有诸己之谓信，充实之谓美，充实而有光辉之谓大。”道德修养完满，故能充实而有光辉。“大学之道”是养成此种充实而有光辉的理想的人格之修养方法。

【修辞】

《大学》、《中庸》的章法

一般而言，中国人写论文或诗歌，大多讲究起承转合，结论往往放在后面。另有一种“演绎法”先申明主旨，然后分别申论。西方人写作大多采取此法。而且每一段都要有主题句，陈述主要观念，主题句也往往放在最前面。《大学》和《中庸》，原来也都只是《礼记》中的单篇文章。这两篇的结构，都用演绎法。开头第一句，就分别以十六和十五个字，把全篇的主旨（也是结论）做完整叙述。文字简明扼要，包举一切。后面的文字，都是这些文字的延伸和论证的开展。后代文章，少见此种气势。

转品：文法的“变性”

“大学之道，在明明德。”

黄庆萱说：“‘明’字本静字，第一‘明’字，明之也，为外动字。”又说：“一个词汇，改变其原来词品而在语文中出现，使含意更新颖丰富，意义表达得更灵活生动，叫作‘转品’。‘品’就是文法上所说的品类。”（黄庆萱《修辞学》第 241 页）

这种假借名词或形容词，转变为动词的现象，修辞学称为“转品”，文法学称为“变性”。除了“明明德”，《大学》、《中庸》之中，还有很多地方使用。如《大学》第三章“君子贤其贤而亲其亲，小人乐其乐而利其利”，第六章“如好好色”、“如恶恶臭”，第十章“老老”、“长长”、“民之所好好之，民之所恶恶之”，《中庸》第二十章“亲亲”等重复用字都是。注意这些修辞上的共同现象，可以更加亲近体会原意。

排比和层递：排队和叠罗汉

董季棠说：“如果‘层递修辞法’，如七级浮图，节节高起；那么‘排比修辞法’，似长江巨浪，滚滚而来。”（董季棠《修辞析论》第 339 页）

我也有一比：如果“层递修辞法”，像是叠罗汉，越叠越高；那么“排比修辞法”，就像学生排队，整齐有秩序。

再以演说为例，如果一上台就说：“我的演讲题目是‘大学之道’，重点有三，第一要明明德，第二要亲民，第三要止于至善。”这就是“排比修辞法”。如果上台说：“大凡天下文章，以绍兴师爷的文章最好，绍兴师爷之中以我弟弟的文章最好，而我弟弟的文章是我教出来的。”这就是越来越高的“层递修辞法”。

将同性质、同范畴的事象、情思，用三个或三个以上结构相同或相似的词组或句子，逐一排列起来，这种修辞手法，叫作“排比”。排比在整齐的形式下，语势增强、感情深化，物象明晰、层次清楚，无论用来叙事、抒情或说理，都有极佳的效果。（黄丽贞《实用修辞学》第428页）

用三个或三个以上结构类似的语句，按照由小及大、由低及高、由浅及深、由轻及重、由近及远、由易及难，或者相反，像阶梯一般、有顺序、有层次地表现某一事实或说明某一道理，这种修辞方式叫作“层递”，又称递进、渐层。运用这种修辞方式，可以使读者看出事实或道理的层级性，使思想内容逐步加深，感情逐步强化，从而增强了语言的说服力和感染力。而且由于排列上讲究次序，因而读起来也就十分连贯、流畅。

《大学》一开始就出现“排比”：“大学之道，在明明德，在亲民，在止于至善。”从明明德开始，三大纲领分列，简明扼要，整齐又有气势。这是句子的排比。

值得注意的是，《中庸》也是以“排比”的修辞方式开头：“天命之谓性，率性之谓道，修道之谓教。”不过由于性、道、教三者之间还有递进的关系，所以这种修辞，又可称为“层递”。《大学》三纲领表面上（形式上）并列，是标准的“排比”，但仔细推敲，它们是由明明德（修己），进一步达到亲民（善群），最后才到达止于至善的目标或境界，所以它们的关系是不断进取开展的，是也层进的，而不是并列的（参本章第四节有关“层递”的分析）。

《大学》和《中庸》同样以“排比”兼“层递”的修辞方式开篇，我想并非偶然。如果说，两者曾经被同一个儒家润色过，我也不会讶异。

“排比”和“层递”是《大学》、《中庸》的两种重要修辞方式。后面还会随机解析。

象征：“道”作为一种象征

我这样为“道”字做批注：“道原指道路，引申为法则、规律、道理。在此专指实现《大学》宗旨的教育内容和方法。”

道路是可以看得见，摸得着的物体。法则、规律、道理等则是抽象的。

抽象的道理，特别是《道德经》里的道，是很难说得清的。所以《道德经》开头第一句话就是“道可道，非常道”。

在《大学》中，用可以感知的事物（道路），来代表抽象的意义（道理）的修辞方式就是“象征”。有了具象的道路，《大学》就容易上路了。

象征是可用以代表或暗示某种事物的，由理性的联想、联系、约定俗成，或者偶然性的而非故事的相似而构成的；特别是以一种看见的符号来表示看不见的事物，如一种思潮、一种质量，或一个国家、一个教会的整体，一种表征（例如：狮子是勇敢的象征，十字架是基督教的象征。）（《韦伯斯特剑桥英语词典》）

象征有两个特点：一、用具体的、可感知的事物代表抽象意义。二、用客观的事物象征主观心理和情绪。例如：以松菊象征高节，以美人香草象征理想等等。在《大学》第九章，也以“桃叶嫩绿茂盛”象征“家的和谐兴盛”。第十章，则以“絜矩”（度量、画方的工具）来象征道德的规范。

【会通】

朱熹说“大学三纲领”

大学者，大人之学也。明，明之也。明德者，人之所得乎天，而虚灵不昧，以具众理，而应万事者也。但为气禀所拘、人欲所蔽，则有时而昏。然其本体之明，则有未尝息者。故学者当因其所发而遂明之，以复其初也。新者，革其旧之谓也。言既自明其明德，又当推以及人，使之亦有以去其旧染之污也。止者，必至于是而不迁之意。至善，则事理当然之极也。言明明德、新民，皆当止于至善之地而不迁。盖必其有以尽夫天理之极，而无一毫人欲之私也。此三者，大学之纲领也。

《大学》思想来自孟子理论之处甚多

“在明明德”，上一个“明”字是动词；下一“明”字与“德”字合为一名词。“明德”即指“德性自觉”而言，“明”字作动词则是“使……明朗”之意。所以“明明德”的意思，就是说“使德性自觉明朗”。《大学》中并未讨论到“明德”何以待明，以及“明德”的根源何生等问题，只是认定“明德”为固有的或本有的。这大约由于接受了孟子心性论的影响。《大学》思想承孟子理论之处甚多。这一点是比较显著易见的。（劳思光《大学中庸译注》第6页）

“亲民”与“新民”的论争

宋朝程伊川（颐）以为，“亲民”的原文应当写作“新民”才对。“新”写作“亲”，是传抄错误的结果。因为下文所引用的《汤之盘铭》、《康诰》、《诗经》的句子，都以“新”字为主。而且《尚书》中也有把“亲逆”写作“新逆”的例子，可为旁证。所以朱子《大学章句》（以下作“朱注”），也说“亲，当作新”。

但是，明朝的王阳明（守仁）认为，“亲民”的“亲”字，仍应作亲字解。他以为本篇后面提到“君子贤其贤而亲其亲，小人乐其乐而利其利”，“如保赤子”，“民之所好好之，民之所恶恶之，此之谓民之父母”，都是“亲”字的意思；《尚书·尧典》的

"克明峻德"就是"明明德","以亲九族"至"平章百姓,协和万邦"便是"亲民"。这样讲法原也说得通。

以全书文字渊源来说,若经典原文的诠释未发生困难,应以不更动为宜。《大学》本为贵族学校的教育宗旨,说"亲民"而不作"新民",经由修己、善群达到至善,相当合理。但所谓经典必可历久弥新,本身也有其接受史,其诠释也应与时俱进。在民主时代,我们应当将《大学》视为一般人安心立命的"大人之学",把重心转为个人的"自新其德"与"社会参与",又由于朱子改编本较有条理,为便于初学,本书基本上采取朱子的文本与诠释。

"止"的真正含意

《礼记·大学》郑玄注:"止,犹自处也。"孔颖达疏:"在止于至善者,言大学之道,在止处于至善之行。"陈澔集说:"止者,必至于是而不迁之意。至善,则事理当然之极也。"陈立夫说:"'止',为确定目标恒久不迁之意,亦即立志。"

这里的"止"字,原意是"居住、停息",也有达到(至)的意思,并不是单纯的"停止"、"静止"或"终止"。至善是终极的、理想的、完美的目标,要达到此一境界才"住"在那里。未达成以前就要继续精益求精,达成后就要维持圆满,不过度追求,以免半途而废或过犹不及。朱子认为,至善是"事理当然之极",王阳明则说,善就是良知,止于至善就是止于良知。

0–2（知止能得）

知止而后有定，定而后能静，静而后能安，安而后能虑，虑而后能得。

【语译】

知道最高理想和目标在哪里，就会心有定见，不会迷失方向。心有定见，就能平心静气，不会张皇失措。能够平心静气，就能沉着安定，不会轻举妄动。沉着安定，就能面对问题深思熟虑，正确思考。能正确思考，就能有好的结论和收获，达到目标，不会走错路（达到完善的境界）。

【详注】

知止而后有定，

知道最高理想和目标在哪里，才会心有定见，不会迷失方向。

知止：知道应该到达、停留的地方。即对理想和目标有明确的了解。朱注："止者，所当止之地，即至善之所在也。"后：就是现在的"后"字。

定而后能静，

心有定见，就能平心静气，不会张皇失措。

定：确切的、不改变的。指心志有定向，能坚守不移。静：安定不动的（朱注：心不妄动）。

静而后能安，

能够平心静气，就能沉着安定，不会轻举妄动。

安：心情安宁、和平、喜悦而无惧怕。即表现恰如其分，能安处于当时的情境之中。

安而后能虑，

沉着安定，就能面对问题深思熟虑，正确思考。

虑：思考、谋算。指思辨精详。

虑而后能得。

能正确思考，就能有好的结论和收获，达到目标，不会走错路（达到完善的境界）。

得：获、取。指获得事物的至善之理。（朱注：得，谓得其所止。）

【精解】

“知止”是大学的总枢纽

前已提及，《大学》的三纲领是全篇的宗旨和结论，其结构是层递式的，由明明德开始，进而善群，最终达到止于至善。

本节，由“知止”开始，继续展开推演。由“知止”到“能得”，提出六个概念，表面上像是一套很细密的心法，其实这是延续上文，主要在强调“止”的重要，必须能“知止”方能有“得”。“定、静、安”三者之间，其实界限很模糊，没有绝对的先后次序（如钱穆有云：“是心静了，还求能身安，则身之安更进于心之静。”）可视为一组概念，做到心情平静、安于当下，有了目标，就能进一步思虑，也才能有所得。而这个“得”，依朱注是“得其所止”，也就是达到原来设定的目标。所以这六个概念，其实可以排列成为一个圆圈，循环不已。

知止意义的扩充

“知止”就是知道要有完美的目标，要“止于至善”，具体的实践要领就是《大学》所探讨的“诚正格致、修齐治平”八条目。问题是，大学是贵族的高等学府，所以讲修身齐家相当简略，而讲治国平天下的部分却又长篇大论，只谈德治原则而不及实践策略。

我们如果就“知止”一词的字面来作延伸性思考，倒是有很多可贵的内涵，特别是在时间管理方面。

时间管理专家一再提醒我们，不要轻易做承诺，要懂得“说不”。要答应一件事，只是几秒钟的事，但要实现承诺，往往需要很多时间，甚至是成为一辈子的负担。所以，什么事该做，什么事不该做，要有原则。

“知止”也是不过度追求完美。以前常听人说“凡是值得做的事，就要尽力把它做好。”其实不然，有的事情值得全力投入，有的事情，不做也没关系。所以“知止”就要懂得做选择，知道有些事，不值得尝试，有些事，只需费五分力气，只有少数的事情值得全力投入。

所以，《老子》第四十四章说：“知足不辱，知止不殆，可以长久。”

【修辞】

联珠：文字接龙

“联珠”又称“顶真”，是一种使用相同字、词或句的紧密承接，造成形式上前顶后接、首尾蝉联，环环相扣的修辞方式。这种修辞可以使语言富有趣味性及节奏美。

我们耳熟能详的儿歌，有很多都是“联珠”的范例。例如台湾童谣：“火金姑，来吃茶，茶烧烧，配香蕉；蕉冷冷，配龙眼，龙眼会开花……”

联珠辞格建立在它的形式结构上，只要句、段之间使用相同词语，就能成立。但若从内容来分析，可能兼有递进、排比、回文对偶、譬喻等修辞方式。

例如《大学》的“知止而后有定，定而后能静，静而后能安，安而后能虑，虑而后能得”，就形式而言，是联珠。但就内容而言，已经“知”道了自己所要追求的目标，接着经由“定、静、安、虑”的渐进过程，最后便会“得”到（达到）目的。所以是联珠兼层递。（参本书《大学》“经文”章第一节“排比兼层递”）

类叠：文字的旋律

在一段文字中，同样的字、词或句，接二连三地重复出现，念起来很有节奏。使用的修辞法，就叫作“类叠”。

“知止而后有定，定而后能静，静而后能安，安而后能虑，虑而后能得。”（《大学》经文章第二节）“而后能”这个三字词，在接连的各句中出现，也是“类叠”（参本书《大学》第七章“类叠”）

【会通】

“蝴蝶效应”一定会发生吗?

由“知止”开始，到“能得”为止，发生了一连串的“连锁反应”或“骨牌效应”，从修辞形式来讲是“联珠”，若以游戏来打比方，就像“接龙”。若从科学角度来看，则有一点像是气象学家所说的“蝴蝶效应”。所谓“蝴蝶效应”是美国气象学家劳仑次（E.Lorenz）六十年代初的发现。它是指在一个动力系统中，初始条件下微小的变化能带动整个系统长期的巨大的连锁反应。这是一种混沌现象。一九七九年十二月劳氏在美国科学促进会演讲的题目是：“可预言性：一只蝴蝶在巴西扇动翅膀会在得克萨斯引起龙卷风吗？”多么耸动的题目！但是稍有常识的人都会知道，一个微小的初始变化，很可能被另一个微小或更大的变化抵消，你再大的掌风，也撼动不了远方的大树。所以，连锁反应的结果虽是微妙的、难以预期的，但并非必然的。由“知止”到“能得”也是如此。“知止”与“有定”的因果关系，只是可能，而非必然。由“知止”到“能得”之间，只是可能的可能的可能的可能的可能，中间还要考虑很多因素。

心安身自安

心安吟 〔宋〕邵雍

心安身自安，身安室自宽。

心与身俱安，何事能相干？

谁谓一身小？其安若泰山。

谁谓一室小？宽如天地间。

0–3（本末先后）

物有本末，事有终始，知所先后，则近道矣。

【语译】

人间所有的事物，都有根本、基础的部分，和细微、末节的部分，事情也有结束和开始。知道优先级，就离开大学正道不远了。

【详注】

物有本末，事有终始，

任何一件事都有根本和末节，事情也都有开始和结束。

物：原指万物，包括人与事在内。本末：事情的根本与细节。本：草木的根干，比喻事情的根源。末：物体的尾端。比喻不重要、非根本的事物。事：人类所作所为及自然界的一切现象、活动，都称为“事”。终始：从开头到结局，事物演变的全部过程。朱注：“明德为本，新民为末。知止为始，能得为终。本，始所先；末，终所后。”

知所先后，则近道矣。

知道优先级，就离正道不远了（也就和《大学》的宗旨相距不远了）。

所：表示指示。相当于“此”、“这”。则：便、就。道：指大学之道。矣：表示肯定的语气。

【修辞】

譬喻：打比方

本节以“树头树尾”来代表“事情的根本与细节”，这是一种“譬喻”的修辞方式。本，草木的根干，用来比喻事情的本原、根源。末，物体的尾端、顶梢，用来比喻不重要、非根本的事物。

譬喻，又称比喻，也就是我们俗称的“打比方”。譬喻是一种语言的虹桥，它是人类生活中最早使用、最爱使用、也最具有表现力的一种表达方式。

在我们生活中，到处都有譬喻。例如成语“光阴似箭，岁月如梭”，就是譬喻。林怀民善用譬喻的能力，使他教舞特别顺利，舞者一听就能领悟。譬如，“你的臀部落下来的那一刹那，要像开汽水瓶一样，啵的一声，别拖泥带水”；“你的眼睛为什么瞪得像纽扣一样，呆滞无神”；“走路的时候要盖章，重心要下去一

点”；“你要像毛毛虫变蝌蚪”。（二〇〇六年十一月三十日《壹周刊》）

凡是使用“似”和“如”或“像”等譬喻词明白说出的譬喻，又称“明喻”或“直喻”。当林怀民说“走路的时候要盖章”时，或本节使用“本、末”来作譬喻，却未用“像”、“如”之类的譬喻词，比喻的对象也不一定明讲，所以又称“隐喻”或“暗喻”。

董季棠说：“修辞里最常使用的方法是譬（比）喻。因为使用譬喻，能使未知的事物，显出清晰的形象，使人明晓；能使抽象的理论，成为具体的概念，教人接受；能使微妙的情绪，化为感人的力量，引人共鸣。所以无论记叙文、论说文、抒情文，都可使用譬喻，增加文字的力量。”（董季棠《修辞析论》第33页）“本、末”的隐喻，使得《大学》所表达的内容更加有层次而生动，它的作者，真是写作高手。

映衬：“对比”的使用

本节使用了“本末”、“终始”、“先后”三组对比性的概念。由于“对比”的使用，说理分外鲜明。这种用两种相反的事物，摆在一起，作对照的形容，以加强印象的修辞方式，就是“映衬”，又称“对比”。

董季棠说：单独说一件事物，固然也能造成印象；但总不如两件相反的事物，互相对照，更加深刻而明显。譬如一朵红花插在花瓶里，固然好看，但总不如开在绿叶丛中，更加鲜艳。一位忠臣，正立朝廷，固然令人钦敬，但总不如有奸臣和他抗争，更能显出他的伟大。所谓“红花须有绿叶扶”，所谓“疾风知劲草，板荡识忠臣”，修辞里的映衬，就是根据这种情形而产生的。（《修辞析论》第51页）

【会通】

事物的相对性

陈立夫在《四书道贯·致知篇》论及“知物”时，特别重视事物的相对性，特别举出相对之名词三十项，分别详加分析：本末、大小、轻重、新旧、异同、清浊、文质、得失、存亡、损益、难易、厚薄、荣辱、穷达、贵贱、贫富、毁誉、生死、好恶、枉直、去就、上下、远近、朝夕、深浅、出入、古今、先后、经权、义利。

以“本末”和“先后”为例，他说：“本末相对，无本即无所谓末，反之亦然。本末之分，即为首尾之别。以物之整体言，吾人不能看轻本，亦不可忽视末，但本究重于末。”“一切事物，皆随时间前进，是以有在先者，有在后者。《大学》曰：‘知所先后，则近道矣。’吾人若能分别事物之缓急而与时间相配合，宜后者不为之于先，宜先者不为之于后，方合于程序而不乱。”

本末·人生愿景·目标管理

大学所谓“本末”，基本上是指实践的先后次序，朱子说：

“明德为本，新民为末。知止为始，能得为终。本，始所先；末，终所后。”另外，《大学》说“自天子以至于庶人，壹是皆以修身为本”，又说“德者本也，财者末也”。这是把“本”看作“根本”的重要之事，而“末”只是细微末节，无足轻重的小事，但实际上重要的事也要优先去做。

从现代人的角度来看，就是要“认清方向”与“区分轻重缓急”。

有一天晚上，一个人在路灯下低头寻找着。经过的朋友问他：“你在找什么东西？”

他回答说：“我刚刚在汽车那边把钥匙丢掉了。”“你的钥匙不是掉在那边吗？为什么在这边找？”“我知道，可是这边比较亮……”

西方人的墓碑，往往要刻上一两句话，为往生者盖棺论定。时间管理专家也鼓励读者，试想在自己的告别会上，亲友会怎样论断自己，而自己又希望别人怎么说。套一个《大学》的修辞公式来说：有了人生愿景，就能确认人生使命；有了人生使命，就能有确定的目标，有了确定的目标，就能认清方向，不会误入歧途，找不到自己的人生之钥。这就是所谓“从死到生”或“以终为始”的人生规划。

教育家主张，要教育儿童懂得“价值澄清”；心理学家说，人生的真谛就是要认识自我，了解自己真正的需要和价值所在，然后寻求发挥本性，求得自我实现；管理学者讲究“目标管理”

和“二八法则”；时间管理专家注重“建立优先次序”、“辨别紧急和重要”；开店置产讲求“Location! Location! Location!”；彼得·德鲁克说：“‘做对的事’比‘把事做对’重要”；而张忠谋的工作理念是：“有效率地做对的事情。”不也都是“同理可证”？

0–4（八条目）

古之欲明明德于天下者，先治其国。欲治其国者，先齐其家。欲齐其家者，先修其身。欲修其身者，先正其心。欲正其心者，先诚其意。欲诚其意者，先致其知。致知在格物。

物格而后知至，知至而后意诚，意诚而后心正，心正而后身修，身修而后家齐，家齐而后国治，国治而后天下平。

【语译】

古时候如果想要使天下所有的人，都能修明自己的清明德性，就要先管理好自己的国。想要管理好自己的国，就要先整治家庭或家族，使家中成员亲爱和睦；想要使家中成员亲爱和睦，就要先修养好自己的品德；想要修养好自己的品德，就要先使自己心思安定，不受情绪的干扰蒙蔽。想要使自己心思安定，不受情绪的干扰蒙蔽，就要先使自己真诚面对自己的意念；想要使自己真诚面对自己的意念，就要先尽可能提高自己的见识，而提高自己的见识，就要穷究事物的道理。

穷究事物的道理以后，见识才能尽量提高；见识尽量提高以后，才能意念真诚；意念真诚以后，心思才能安定；心思安定以后，品德才能修养好；品德修养好以后，家庭才能亲爱和睦；家庭亲爱和睦以后，才能管理好国家；管理好国家以后，天下才能太平。

【详注】

古之欲明明德于天下者，先治其国。

古时候如果想要使天下所有的人，都能修明自己的光明德性，就要先管理好自己的国。

《大学》的理想是培养杰出的贵族阶级，所以用“古之欲明明德于天下者”作为示范。

古：古代盛世，这只是托古改制者的一种象征式说法，并非专指历史上的某一时代。明明德于天下：使全天下的人都能发扬自己光明的德性。大意包括“新民”在内。天下：古代中国境内区域。治（chí）：动词“管理、统治”意义的读音。此字语音治。若依朱子所注，“先治”、“欲治”读迟，“国治”、“末治”读治。国：古代称诸侯或君王的封地为“国”。

欲治其国者，先齐其家。

想要管理好自己国家，就要先整治家庭或家族，使家中成员亲爱和睦。

齐其家：整治他的家政，使其家族中的成员亲爱和睦。齐：整治、整理。家：家庭，也指古代大夫的家族，或古代大夫所居的采地或食邑。

欲齐其家者，先修其身。

想要整治家庭或家族，使自己家中成员亲爱和睦的人，就要先修养好自己的品德。

修其身：修养自身的品德。

欲修其身者，先正其心。

想要修养好自己的品德的人，就要先使自己心思安定，不受情绪的干扰蒙蔽。

正其心：使心思端正，即心情安定，不受情绪干扰蒙蔽。

欲正其心者，先诚其意。

想要使自己心思安定，不受情绪的干扰蒙蔽的人，就要先使自己真诚地面对自己的意念。

诚其意：真诚地面对自己的意念。

欲诚其意者，先致其知。

想要使自己真诚面对自己的意念的人，就要先尽可能提高自己的见识。

致其知：推究事物的道理，以获得不尽的知识。致：推极。知：识见、学问。（王阳明主张："致"是扩充的意思，因而有"致良知"的学说，比较偏向价值判断。）

致知在格物。

而提高自己的见识，就要穷究事物的道理。

格物：穷究事物的道理。格：穷究。陈立夫："格物之本义，系对事物加以观察、区分、解析、量度、比较之意。"(《四书道贯》)

物格而后知至，知至而后意诚，

穷究事物的道理以后，见识才能尽量提高；见识尽量提高以后，才能意念真诚；

格物：推究事物的道理。格：推究。

意诚而后心正，心正而后身修，

意念真诚以后，心思才能安定；心思安定以后，品德才能修养好；

身修而后家齐，家齐而后国治，

品德修养好以后，家庭才能亲爱和睦；家庭亲爱和睦以后，才能管理好国家；

国治而后天下平。

管理好国家以后，天下才能太平。

【精解】

"八条目"与"德治"

朱注：明明德于天下者，使天下人皆有以明其明德也。心者，身之所主也。诚，实也。意者，心之所发也。实其心之所发，欲其必自慊而无自欺也。致，推极也。知，犹识也。推极吾之知识，欲其所知无不尽也。格，至也。物，犹事也。穷至事物之理，欲其处无不到也。此八者，大学之条目也。

朱子所提出的“八条目”，就是格物、致知、诚意、正心、修身、齐家、治国、平天下等八项。这是实践并完成三大纲领的八个具体步骤，有其本末、先后次序。格、致、诚、正、修五条目是修己，相当于“明明德”的实践工夫。齐、治、平三条目是善群，相当于“亲民”的实践工夫。齐、治、平三者，必须以修己为本，而修己又必须从格物开展。八条目都实践了，也就是“止于至善”的实现。这是一套将道德修养与政治教化巧妙结合的政治哲学。

天下、国、家，古今不同

《大学》所说的天下、国、家三者的概念与现代用法有很大差异。

现代人说“天下”是指全世界。但最初古人认为地在天之下，故称大地为天下，而事实上“天下”多指中国范围内的全部土地、统治权。在古代，中国是指华夏族、汉族地区（以其在四夷之中）。而华夏族、汉族多建都于黄河南、北，因称其地为“中国”，与“中土”、“中原”、“中华”含义相同。

古代的“国”，也不等于现代的“国家”，而是指诸侯或君王的封地，以孔子时代为例，他周游列国，到过齐国、晋国两个大国，也去过卫、宋、陈等小国，他自己所属的鲁国也不大。

至于家，虽可指“家庭”，但“大学”是古代贵族的高等教育机构，所以“家”主要指古代卿大夫的家族和封地。《论语·八佾》："三家者以雍彻。"朱熹注："三家，鲁大夫孟孙、叔孙、季孙之家也。"《孟子·梁惠王上》："千乘之国，百乘之家"（一乘为一车四马）。另外春秋晚期，晋国本由六卿专权，后来范氏、中行氏与智氏相继被灭，形成韩、赵、魏三家分晋的局面，三十年后周天子才正式承认三家为诸侯国。所以"家"说小可以很小，说大还真的范围很大呢。

我们以现代人的眼光来看，由于交通和通信的变革，产业的变化，国家界限日益模糊，地球是平的，世界是一村。所以"天下一家"的概念又回到现实。我们今日诠释《大学》，应如同傅佩荣所说的："'家'可以指一个人的家庭。'国'可以指一个人在社会上的工作单位或特定团体；'天下'则可以指某一工作领域，或某一具体的国家，或甚至全人类的范围。"（参傅佩荣《大学中庸解读》第19页）。

【修辞】

八层宝塔：联珠+复式层递

这一节，表达全书说理的逻辑结构，所以动用联珠（参本书《大学》"经文"章第二节"联珠"），把每个关节都作紧密结合。然后又用宝塔式的建筑结构，让读者一开始就站在八层的宝塔顶端，从最高的"明明德于天下"的制高点说起。然后才说"先治其国"，也就是"第八层盖在第七层上面"；接着说"欲治其国者，先齐其家"，这就是说"第七层盖在第六层上面"……同理反复进行，最后回到第一层，原来所有这些都是建立在“格物”上面。也就是说，若要盖八层宝塔（明明德于天下），必须由地面的一楼（格物）先盖起。

如果我们把下面的一节连在一起看，就会发现又要从一楼爬到八楼。这种把前进式跟后退式的层递，一前一后连接起来的修辞方式，属于复式层递中的反复式。

这段话可以分为两个部分。第一部分是从“古之欲明明德于天下者”起，到“致知在格物”。这一部分如果依事物的大小范围来说，先由天下说起，然后依次是治国、齐家、修身、正心、诚意，致知、格物。这是由大而小的递降。第二部分从“物格而后知至”起，到“国治而后天下平”。这一部分依事物范围来说，先由“格物”说起，然后致知、诚意、正心、修身、齐家、治国、平天下。这是由小而大的递升。这一大段里，递降和递升前后连用，属于升降连用型。董季棠分析这一段话，采用事物的本末来分，认为第一部分是由末到本的排列，属于顺层递（也就是递升）；第二部分是由本到末的排列，属于倒层递（也就是递降）。这样的分法也可以。（陈正治《修辞学》第 282 页）

《大学》文字结构的宏伟精密，真是无以复加。（参本书《大学》“经文”章第一节“排比兼层递”）

【会通】

岳飞打张飞:“求真”还是“求善”?

张飞打岳飞，大家都说是乱了朝代。还有人说：这是两个不同时代的人，根本不可能打在一起。但，如果是岳飞打张飞呢?例如，有关《大学》的改编和内容诠释，就是跨朝代的大论战。宋朝的朱子（熹）穷毕生之力，对《大学》进行过“改编”、“补传”和“批注”的大工程。他的影响很大，因而也树大招风。

明朝的王阳明（守仁）（公元一四七二——一五二九）对他的很多看法不以为然，提出批评，也有自己的看法。但因为朱子难以回到明以后的未来，只能打不还手；王阳明也无法回到明朝以后的文字论坛，也只能对批评他的人骂不还口。现在还在进行的，只是代理人论战，所以这些真是一时也说不清。

朱、王二人，最大的歧异，在于“格物、致知”四字。

朱子说:“致，推极也。知，犹识也。推极吾之知识，欲其所知无不尽也。格，至也。物，犹事也。穷至事物之理，欲其极处无不到也。”也就是他要大家“即物穷理”，尽力了解天下之物的道理，认为对事物道理的了解，有益于正心诚意。

王阳明则主张:“致知云者，非若后儒所谓充广其知识之谓也，致吾心之良知焉耳。……吾心之良知，无有不自知者。”(《大学问》）他认为，“格”为正，“物”为事，“致”为扩充，而“良知”即天理，“致”是扩充的意思，“良知”所知的即为善恶。

因而“致知”所知者是善恶之知，也是德性之知。他的“致良知”学说，比较偏向价值判断。后代支持《古本大学》的学者，往往也为王阳明助阵，声势不小。

那么朱熹的“致知”是否只限于“知识”的知呢？如果是，则我们可以说朱熹的“致知”是“求真”，王阳明的“致知”是“求善”的知。就此而言，没有人论及“求美”。

但是也有人认为，朱子并未把话说死。他虽然说：“知，犹识也。推极吾之知识，欲其所知无不尽也。”好像倾向于“求真”，但黄慧英指出：“朱子所解‘致知’中的‘知’是知事物之理而非对客观世界的认知，而此事物之理（即‘穷理’之理）又是事物‘所以然之理’与‘当然之则’，如此，‘格物’、‘穷理’便不是知识之事；尤其朱子认为人的心本具众理，穷理之要是使昏昧之心复归于明。假若这样理解朱子之意，则‘致知’便不是一般的认知意义；用朱子之说解释，亦可见出一定的义理。’”而劳思光也指出：“日后王阳明立说，本身造境虽高，但对‘格物’与‘致知’的解释，显然离原文愈来愈远。这就使得‘格’、‘致’、‘物’、‘知’等词语意义皆无定解，而成为《大学》的‘疑义’所在了。”（以上见劳思光《大学中庸译注》第 8 页及小序）

西方刑事官司，有罪无罪、谁胜谁负，要由陪审团取得共识。如果最后时刻，陪审团一时没有出来，就表示还没有结果。我们东方的这个争论了五百年的文字官司，看来法官、律师很多，并无陪审团，所以论争还要继续下去。

0–5（修身为本）

自天子以至于庶人，壹是皆以修身为本。其本乱而末治者，否矣。其所厚者薄，而其所薄者厚，未之有也。

【语译】

从天子一直到平民，全都要以修养自身品德作为根本，没有例外。根本的修身没能做好，而能治国平天下，那是不可能的了；对于应该厚待的却亏待、疏远了，应该慢慢来、从长计议的却又急着下功夫，这种本末不分，轻重倒置的事，也不会发生。

【详注】

自天子以至于庶人，壹是皆以修身为本。

从天子一直到平民，都是以修身作为根本，没有例外。

庶人：指没有官爵的平民百姓。庶：众。壹是：都是、一概、凡此。壹：通常作“一”，“一”表示范围，相当于“全”、“都”。有时又写作“壹”。修身：内在的修养自身品德，这里也包含格物、致知、诚意、正心四者。

其本乱而末治者，否矣。

如果根本的修身功夫没能做好，而能治国平天下，那是不可能的了。

其：若、如果，表示假设。本：根本，指修身。乱：无条理秩序的。

末：相对于本而言，即枝末、枝节。这里指齐家、治国、平天下。治：治理得好，安定天下。否：不是。用于应对，表示否定的回答。矣：助词，用在感叹句末，相当于“了”。

其所厚者薄，而其所薄者厚，未之有也。

对于应该厚待（指修身）的却亏待、疏远了，应该慢慢来、从长计议的（指齐家、治国、平天下）却又急着下功夫，这种本末不分，轻重倒置的事，也不会发生。

厚薄：指事情的轻重缓急，即本末先后。厚：看重、厚待。薄：轻视、轻薄。

【精解】

天子：君权神授

天下最高君主。古人认为君权神授，君主秉承天意治理人民，故称天子。《礼记·曲礼下》：“君天下曰天子。”《史记·五帝本纪》：“于是帝尧老，命舜摄行天子之政，以观天命。”《白虎通·爵》：“天子者，爵称也，爵所以称天子者何？王者父天母地，为天之子也。故《援神契》曰：‘天覆地载，谓之天子。’”《大学》第二章有“周虽旧邦，其命维新”之语，可见其自认权力来自“天命”。

【修辞】

错综：活泼化

本节“否矣”与“未之有也”意思相同，为何有不同的表达？

对偶、排比的好处是整齐划一、富丽堂皇（层递和联珠也一样）。但有时也有缺点，那就是容易流于重复、刻板。补救的办法，就要借“错综”来调剂。错综，是故意使上下文词语各异，句子不齐，文法语气不同，产生活泼多变化的美丽辞面。（董季棠《修辞析论》第399页）

你说：用两个“否矣”好呢？还是把第二个“否矣”，改成“未之有也”好？

映衬：本节出现了三组相反的词汇，两两相对：本末、乱治、厚薄。由于“对比”的使用，说理分外鲜明。这种用两种相反的事物，摆在一起，作对照的形容，以加强印象的修辞方式，就是“映衬”又称“对比”。（参本书《大学》“经文”章第三节“映衬”）

附录【经文章朱子后语】

右经一章，盖孔子之言，而曾子述之。其传十章，则曾子之意，而门人记之也。旧本颇有错简，今因程子所定而更考经文，别为序次。如下。

【详注】

曾子:（公元前五〇五—前四三六）名参，字子舆，春秋鲁武城人。孔子学生。以孝著称。提出“吾日三省吾身”的修养方法。认为“忠恕”是孔子“一以贯之”的思想。提出“慎终追远，民德归厚”等主张。以其学传孔子孙子思，相传《大学》为他所著。后世尊为“宗圣”。旧本：指《小戴礼记》中的《大学》原文。错简：古代的书多以竹简、木牍依次串联编成，错简是说竹简、木牍前后次序错乱。后用为古书中文字颠倒错乱之称。观《大学》文理，前后并不一贯。错简难免。

传十章

第一章　释“明明德”

《康诰》曰:“克明德。”《大甲》曰:“顾諟天之明命。”《帝典》曰:“克明峻德。”皆自明也。

【语译】

《尚书·周书·康诰》说:“要能彰明德性。”《尚书·商书·大甲》说:“要审慎详察天给我们的光明德性。”《尚书·虞书·尧典》说:“要能够彰明伟大的德性。”这些都是在说明自我发扬光明德性的工夫。

【详注】

《康诰》曰:“克明德。”

《尚书·周书·康诰》说:“要能彰明德性。”

《康诰》:《尚书·周书》篇名。克:能。明:彰明。德:德性。“克明德”就是“能明其德”，是周公勉励康叔的话。

《大甲》曰：“顾諟天之明命。”

《尚书·商书·大甲》说：“要审慎详察天给我们的光明德性（不要荒废怠惰）。”

大甲：大（tài），通太。大甲就是太甲。《大甲》是《尚书·商书》的一篇。顾：反省顾念、顾念注视的意思。諟：“是”的古字，此的意思。元朝陈天祥认为：当解作“审”，“顾諟”即“顾视审念”。天之明命：天赋的光明德性。朱子注：“天之明命，即天之所以与我，而我之所以为德者也。”（陈槃依郑注，“諟”解为“正”，“顾諟天之明命”就是说“念在正天的明命”。）

《帝典》曰：“克明峻德。”皆自明也。

《尚书·虞书·尧典》说：“要能够彰明伟大的德性。”这些都是在说明自我发扬光明德性的工夫。

《帝典》：指《尧典》，是《尚书·虞书》的一篇。克明峻德：能明其大德。峻：大。

【精解】

解释权：断章取义

《康诰》的原文是：“惟乃丕显考文王，克明德慎罚，不敢侮鳏寡，庸庸、祗祗、威威、显民。”这是《康诰》最重要的一段，其中“克明德慎罚”一语尤其重要。但这里的引文只截取前三字。陈栎《四书发明》说：“此只取上三字，乃引经活法。”（翟灏《四书考异》引）但以现代人的观点来看，是“断章取义”。

太甲就是大甲

太甲，商代国君，名至，是商汤的嫡长孙，太丁之子。他即位后由伊尹辅政。但他不听伊尹的劝告，不理国政，不守居丧的礼节，被伊尹放逐到商汤埋葬的地方“桐”（软禁于桐宫）。三年后回到亳都，才想要接受常道。伊尹才归政于他，并作《太甲》来告诫他学习先王，敬奉天命。原文是：“先王顾諟天之明命，以承上下神祇。”意思是：先王敬奉天命，以承顺天神地祇。《太甲》是古文《尚书·商书》中的一篇，今文本无。因为古文《尚书》经后人考定为伪作，所以这一类文字大可看作出于汉初儒生之手（陈槃认为是魏晋间人所假托），并非真的古籍。亦即所谓“伪书”。

帝典

《帝典》，指《尧典》，是《尚书·虞书》中的一篇。主要记述尧、舜的事迹。原文是说尧帝“克明俊（通‘峻’）德，以亲九族”。原意是：能够尊明俊德之士，使之助己以亲慕九族。但是《大学》引用此语，意思是“能够弘扬崇高的品德”。

尧——传说中的人物

尧，传说中父系氏族社会后期部落联盟首领。号称陶唐氏，名放勋，史称“唐尧”。传曾命羲和掌管时令，制定历法。咨询四岳，选舜为继承人。对舜考核三年以后，命舜摄位行政。他死后由舜继位，史称“禅让”。近人以为，《尧典》是周代史官根据传闻编著，又经春秋、战国时人用儒家思想陆续补订而成。记载尧、舜禅让的事迹，反映了中国原始社会末期的一些历史情况。

【修辞】

引用：作文的妙招

我小时候写文章，除了结论一定要政治正确以外，内文往往要来几句“某某”、“孔子说”。考作文时，如果没有名言佳句在脑中，还可以“俗语说”、“有人说”，或者说一个爱迪生的故事。这样的引用，颇有好处，除了扩增篇幅，还可以引用权威，以壮声势，加强说服力。这个小聪明，使我成了作文比赛的常胜军。

黄丽贞说：在说话或写文章时，引取其他和本题有关的语言、文字，以充实内容、佐证或加强自己的论点、见解，或妥切地表示自己的感情，这种修辞法，就是“引用”，也叫“引证”或“引语”。（黄丽贞《实用修辞学》第356页）

《大学》和《中庸》成书较早，所以书中除了引述尧舜、文武、周公的事迹和功业，直接引用的文字基本上来自孔子的语录（二十一）和《诗经》（二十八）、《尚书》（六）二经，另外还有《曾子》、“汤之盘铭”、孟献子、“谚”、《礼记》（各一），其中又以《诗经》文字的引用为最多。五千三百多字就有六十处引用文字，这样的频率实在很高（《论语》引用《尚书》文字不过三次，引用《诗经》也不过十四次）。这些引用，往往只是一首诗的片段，有时甚至连文字和文义都改了，难免断章取义，重复论述或语焉不详，甚至造成理解上的困难。本书在解析时会适度指出这些问题。初学者对于引用经书造成的障碍（特别是《尚书》），若能暂时避开，或不求甚解，学习会更有成效。

【会通】

托古改制

胡适说：古人言必称尧舜，只因为尧舜年代久远，可以由我们任意把我们理想中的制度一概推到尧舜的时代。即如《黄帝内经》假托黄帝，《周髀算经》假托周公，都是这个道理。韩非（《韩非·显学》）说得好："孔子、墨子俱道尧舜，而取舍不同，皆自谓真尧舜。尧舜不复生。谁将使定儒墨之诚乎？"（胡适《中国古代哲学史》）这种借重古人的主张，康有为称为"托古改制"。

第二章 释"新民"

汤之《盘铭》曰："苟日新，日日新，又日新。"《康诰》曰："作新民。"《诗》曰："周虽旧邦，其命惟新。"是故君子无所不用其极。

【语译】

商汤的《盘铭》说：如果一天能够自新，就应该天天自新，新了还要继续求新。《尚书·康诰》上说："感化人民、鼓励人民，使其自新、新生。"

《诗经》上说："我们周人虽然是一个古老的诸侯国，算是一个旧邦了，但是接受天命却是新近的事。"所以，君子都会尽心竭力去做明德与新民，以达成止于至善。

【详注】

汤之《盘铭》曰："苟日新，日日新，又日新。"

商汤的《盘铭》说："如果一天能够自新，就应该天天自新，新了还要继续求新。"

汤，即商汤，是商朝的开国君主。盘铭：刻在盥洗盆上以自勉的辞句。盘：古代青铜制盥洗器具。贵族盥洗时，用匜提水浇洗，以盘盛水。盛行于商、周时代。铭：刻写在器物上的文辞。古代常把文字刻在金石器物之上，或用作纪事颂德，或用作劝勉申诫，后来演变成一种文体。苟：如果。"苟日新"即是"如果能够日求自新"之意。另一说，"苟"是"敬"字的古体，"苟日新"即是"敬求日新"之意。

《康诰》曰："作新民。"

《尚书·康诰》上说："感化人民、鼓励人民，使其自新、新生。"

《康诰》:《尚书》中的一篇。作：鼓舞振兴。新民：使民更新、教民向善。

《诗》曰："周虽旧邦，其命惟新。"

《诗经》上说："我们周人虽然是一个古老的诸侯国，算是一个旧邦了，但是接受天命却是新近的事。"

《诗》：引自《诗经·大雅·文王》，是一首歌颂周文王德业的诗。周：指周国。旧邦：古老的诸侯国。古时诸侯的封土，大的称为"邦"，小的称为"国"。周从后稷始受封国，（开国）至太王迁往岐山定居建国，经历夏、商二代，所以称作"旧邦"。其命惟新：根据《尚书》的记载，上天命令文王讨伐殷商，接受天命，也就是说文王时天命才开始归周，所以说"其命惟新"。其命：指周所秉受的天命。其：代词，它的。命：天命。惟：连词，"则"的意思，相当于"乃是"。

是故君子无所不用其极。

所以，君子都会尽心竭力去做明德与新民，以达成止于至善。

极：极致。指至善的地步。朱注：自新、新民，皆欲止于至善也。

【精解】

商汤生平

汤，亦称"武汤"、"成汤"，自称履，是商朝的建立者。建都于亳，原为商族领袖，与有莘氏通婚，任用伊尹、仲虺为辅佐，陆续攻灭邻近的葛国、夏的联盟韦、顾、昆吾等国，经十一次出征，成为当时强国。约于公元前一六〇〇年左右一举灭夏，建立商朝。

岑溢成说“盘”

盘，一种盛器。但这种盛器的功用却有不同的说法。朱子采取孔颖达《礼记正义》的说法，认为这是沐发浴身之盘。宋陈天祥《四书辨疑》认为是盛食物之盘。宋朝新定邵氏、清朝阎若璩、江永、段玉裁、俞樾等均认为不应为沐浴之盘而当为盥洗之盘。阎若璩的论证最为扼要，他说：“说者谓古者五日一浴，三日一沐，甚或过三日五日之期，非同盥漱为每日晨兴所必须。此与铭不合。所以雅爱郑康成《内则》证‘盘，承盥水者’，韦昭《吴语》注‘盘，承盥器也’；直取以易《集注》。”（岑溢成《大学义理疏解》第51页）

甲骨文大师铭文别解

董作宾说：“苟”字不见于商代的卜辞。金文中常常见到，但“苟”字在这里作“敬”字解，就是苟是敬字的古文。“又日新”的“又”字，如果在祖甲以前，那只可以作“佑助”解；祖甲以后，才有“再”的解义。董先生因此替这“汤之盘铭”试解作：“敬日新，日日新之，此盘佑助汝之日新。”（转引自陈槃《大学中庸今释》第20页）

第一部诗歌总集

《诗经》是中国第一部诗歌总集。据说是由儒家创始人孔子编定的。大致上是西周初年至春秋中叶五百年间的作品，共三百零五篇，代表了两千五百多年以前诗歌创作的最高成就。《诗经》里的作品都是合乐的唱词，分为“风”、“雅”、“颂”三部分。“风”是地方乐调，收录当时十五国的民歌，共一百六十篇。“雅”分“大雅”、“小雅”，多为贵族所作的乐章，“颂”是用于宗庙祭祀的乐歌。《诗经》的写作方法，古人归纳为赋、比、兴三类。“比”就是比喻；“兴”就是联想和象征；而“赋”，就是有话直说，只用“白描”，不用比喻、象征或婉曲等写作方式。

【会通】

解释权：经典的引述

《康诰》云：“予惟小子，乃服惟弘王，应保殷民，亦惟助王宅天命，作新民。”《康诰》是周武王告诫康叔要小心谨慎地统御管治殷之遗民的文字。“作新民”之原意指当与殷民更始，使殷民受周室之教化。《大学》引用此语，则把“新”用作“自新”，把“民”用作泛称而非专指殷民；这显然与《康诰》原意不大相符。先儒引述经典，通常借来表达自己的意思，并非诠释经典，所以不守其本意。（岑溢成《大学义理疏解》第 52 页）

好习惯的养成

有人问美国著名的幽默大师马克·吐温：为什么一直没有戒烟？他回答说："其实我已经戒了好几百次了。"很多人每年都要买一本新的日记，立下新年的新志向，然后努力实行新生活。但是，过不了多久，所有的新努力就束之高阁，一切回归正常，而我就是其中一分子。所以，每次想起初中同学在毕业纪念册的留言："君子立恒志，小人恒立志。"我都只能承认自己做不了君子。

如何才能养成良好的新习惯，而不致半途而废？

常见的说法是：要养成一个新习惯，最少需要二十一天的反复练习。无论这个说法有无根据，如果你真的把一件事重复做个二十一天，那么相信你一定也会有所收获。

不过最新的说法是：好习惯的养成需要连续六十六天。英国心理学家沃德尔于二〇〇九年通过实验发现，大约经过六十六天坚持之后，人们就会做到"习惯成自然"，把好习惯转化成生活的一部分，不再需要刻意坚持。（参本书《大学》第八章"富兰克林的十三美德"）

第三章　释"止于至善"

《诗》云："邦畿千里，惟民所止。"《诗》云："缗蛮黄鸟，止于丘隅。"子曰："于止，知其所止，可以人而不如鸟乎？"

《诗》云："穆穆文王，于缉熙敬止。"为人君，止于仁；为人臣，止于敬；为人子，止于孝；为人父，止于慈；与国人交，止于信。

《诗》云："瞻彼淇澳，菉竹猗猗。有斐君子。如切如磋，如琢如磨。瑟兮僩兮，赫兮喧兮。有斐君子，终不可諠兮。"如切如磋者，道学也；如琢如磨者，自修也；瑟兮僩兮者，恂栗也；赫兮喧兮者，威仪也；"有斐君子，终不可諠兮"者，道盛德至善，民之不能忘也。

《诗》云："于戏！前王不忘。"君子贤其贤而亲其亲，小人乐其乐而利其利。此以没世不忘也。

【语译】

《诗经》上说："在天子都城一千里内，都是人民居住的地方。"《诗经》上说："啁啾鸣唱着的黄鸟，就栖息在小山丘的一个小角落。"孔子说："说到栖息居住，连黄鸟都找得到适合栖息的地方，难道人可以不如鸟吗？"

《诗经》上说："和善而肃穆的文王啊，能继续其光明之德，恭敬其所止，而所止无有不善。"作为国君的本分，要爱护百姓；作为臣下的本分，要有恭肃的态度，对职务不懈怠；作为人子的本分，要做到孝敬父母；为人父母的本分，要做到慈爱子女；和国中的人交往的本分，要做到言行有信用。

《诗经》上说："看啊！那淇水水流弯曲的岸边，绿色的竹子美丽多姿，竹子的枝叶，随风摆动，像是在互相切磋着。风度翩翩的君子，如同切磋兽骨象牙一般，如同琢磨玉石一般。不断切磋琢磨，工夫细密，又勤慎不怠；德行多么显赫啊，仪容多么威风啊。风度翩翩的君子，永远不会被人忘记。”

谈论学问，就要“如同切开兽骨，雕刻象牙”，不断切磋精进。修养自己的品行，就要“如同研磨玉石”，要不断琢磨，精益求精。“庄重戒慎”就是战战兢兢的态度。“德威明盛”就是令人敬畏的仪表。“风度翩翩的君子，总是令人难以忘记”是说品德完美，达到最高境界，人民会永远记得他的。

《诗经》说：“啊呀，对于先王要念念不忘。”由于先王的德泽，后代的君子，尊重他所应该尊重的人，并且亲近他所应该亲近的人，后代百姓也能享受他所能拥有的快乐，获得他所能得到的利益，这就是先王虽然去世而不会被人忘记的道理。

【详注】

《诗》云：“邦畿千里，惟民所止。”

《诗经》上说：“在天子都城一千里内，都是人民居住的地方。”

《诗》：《诗经·商颂·玄鸟》。“颂”是宗庙祭祀、歌功颂德所作的诗。这也是一首简短的史诗。叙述殷商始祖契诞生的传说，以及商汤建立王业，武丁中兴的功绩。邦畿：国境、疆域。旧说，天子统治之地千里，称为王畿。邦：古时诸侯的封土，大的称为“邦”，小的称为“国”。

畿（jī）：或作“几”。国都，或古代君王所管辖的地方。惟民所止：人民所居之处。惟：是、为。发语词，无义。止：居住。

《诗》云：“缗蛮黄鸟，止于丘隅。”

《诗经》上说：“啁啾鸣唱着的黄鸟，就栖息在小山丘的一个小角落。”

《诗》：引自《诗经·小雅·绵蛮》。缗蛮：即绵蛮，黄鸟的鸣叫声。黄鸟：胡淼《诗经的科学解读》说，这种鸟，应当是民间称作“芦花黄雀”的黄雀，是一种柔弱的小鸟，而不是光鲜有力，鸣声嘹亮的黄鹂。丘隅：小山丘的角落（指山岩曲折，草木繁盛，适于栖息的地方）。丘：小土山、小土堆。隅：角、角落。止：栖息。

子曰：“于止，知其所止，可以人而不如鸟乎？”

孔子说：“说到栖息居住，连黄鸟都找得到适合栖息的地方，难道人可以不如鸟吗？”

而：尚且。不如：比不上。乎：用于句尾，表示反诘的语气。

《诗》云：“穆穆文王，于缉熙敬止。”

《诗经》上说：“和善而肃穆的文王啊，能继续其光明之德，恭敬其所止，而所止无有不善。”

《诗》：引自《诗经·大雅·文王》，是一首歌颂周文王德业的诗。穆穆：睦睦的假借，和敬的样子。形容人谦谨恭敬、气度深远。文王：商末周族领袖（事迹参见本书《中庸》第十八章）。于（wū）：表示感叹、赞美的语气。缉熙：继续光明。缉：继续。熙：光明。敬止：止于敬。另一说：敬：敬事上帝。止：助词，用于语尾，以加强语气。戴震《诗经补注》:“敬慎其止居不慢也。故《礼记·大学》引之以明止于至善。”止有静的意思。止，陈宏谋注云:“《诗》释止字为语辞;《大学》引《诗》则训止为实字，谓文王能敬止其所而不迁，为止至善之证。义自各别也。”(《四书考辑要》)

为人君，止于仁；为人臣，止于敬；

作为国君的本分，要爱护百姓。作为臣下的本分，要有恭肃的态度，对职务不懈怠。

人君：国君。止:“止”有至、达到、停息、居住、栖息等多重含意，此处是“自处”之意。仁：宽惠善良的德性。敬：恭肃、对职务不荒怠。

为人子，止于孝；为人父，止于慈；

作为人子的本分，要做到孝敬父母；为人父母的本分，要做到慈爱子女；

孝：善事父母的道理、方法。慈：父母对子女的爱称为“慈”。

与国人交，止于信。

和国中的人交往的本分，要做到言行有信用。

交：来往、往来相好。信：诚实不欺、有信用。

《诗》云:“瞻彼淇澳，菉竹猗猗。

《诗经》上说:“看啊！那淇水水流弯曲的岸边，绿色的竹子美丽多姿。

《诗》：引自《诗经·卫风·淇澳》，歌颂卫武公的美德。卫国是周初康叔的后裔，武公勤政爱民，辅助周平王击退犬戎，受封为公。这是周初之事。瞻：向上或向前看。淇：河川名。源于河南省林县，流经汤阴县至淇县注入卫河。澳（yù）：岸边水流弯曲的地方。菉竹：绿色的竹子。菉：读音 lù，语音 lǜ，《诗经》作“绿”。一说，菉为一种草本植物，蓼科蓼属，远望如竹。猗猗（yī）：茂盛浓绿的样子。

有斐君子，如切如磋，如琢如磨。

竹子的枝叶，随风摆动，像是在互相切磋着。风度翩翩的君子，如同切磋兽骨象牙一般，如同琢磨玉石一般。

有：助词，加于形容词前的虚字，作为词头。斐：有文采的样子。“切”、“磋”、“琢”、“磨”：古代雕刻兽骨和玉石的工艺。

瑟兮僩兮，赫兮喧兮；有斐君子，终不可諠兮！”

不断切磋琢磨，工夫细密，又勤慎不怠；德行多么显赫啊，仪容多么威风啊。风度翩翩的君子，永远不会被人忘记。”

瑟：矜持庄重、严密。僩（xiàn）：勤慎不怠。赫：盛大。喧：明亮，形容有威仪。諠（xuān）：忘记，通“谖”。

如切如磋者，道学也；如琢如磨者，自修也；

谈论学问，就要“如同切开兽骨，雕刻象牙”，不断切磋精进。修养自己的品行，就要“如同研磨玉石”，要不断琢磨，精益求精。自修：修身、自我修养。

道学：讲习讨论之事。道：作动词用，说、谈论。

瑟兮僩兮者，恂栗也；赫兮喧兮者，威仪也；

“庄重戒慎”就是战战兢兢的态度。“德威明盛”就是令人敬畏的仪表。

恂栗：战战兢兢。恂：恐惧。栗：战栗、发抖。威仪：庄重的容貌举止。

“有斐君子，终不可諠兮”者，道盛德至善，民之不能忘也：

“风度翩翩的君子，总是令人难以忘记”的意思，是说品德完美，达到最高境界，人民会永远记得他的。

终：到底、毕竟。道：作动词用，说、谈。盛德：高尚的品德。至善：极为完善。

《诗》云：“于戏！前王不忘。”

《诗经》上说：“啊呀，对于先王要念念不忘。”

《诗》：引自《诗经·周颂·烈文》。于戏（wū hū）：即“呜呼”，赞叹之辞。叹词二字连用，比起单独使用表达更为突出的语调，抒发更为强烈的感情。前王：即“先王”。朱子以为指周文王与周武王。

君子贤其贤而亲其亲，小人乐其乐而利其利：

由于先王的德泽，后代的君子，尊重他所应该尊重的贤人，并且亲近他所应该亲近的亲人。后代百姓也能享受他所能拥有的快乐，获得他所能得到的利益。

君子：指后世的贤君。贤其贤而亲其亲：第二个“贤”和“亲”字是名词，指贤人和亲人，第一个“贤”和“亲”字则转变为动词，这是“转品”。后面的“乐其乐而利其利”也是同样情形。小人：指后世的人民。

此以没世不忘也：

这就是先王虽然去世而不会被人忘记的道理。

没世：前王逝世。没（mò）：同“殁”。

【修辞】

摹声：绘声绘影

本节“缗蛮黄鸟”的“缗蛮”二字，是以声音相近的字，去描摹黄鸟的声音，以产生绘声绘影的效果。这种修辞方式叫作“摹声”。摹声是“摹状”的一种。

在现实生活中，人们把各种事物的形状、声音、色泽、气味、情态等的感受，描绘出来，这种“跟着感觉走”的修辞手法，就是“摹状”。摹状的修辞，以摹声词为最多。

反问：答案就在问题的反面

“可以人而不如鸟乎？”孔子提出了问题，并未说出答案，这是一种“反问”的修辞方法，是为了激发听者、读者的思考而问。

这种修辞法，表面上有问题，但没有答案。不过，仔细推敲，答案却很明显地表现在问题的反面。也就是说，常以否定的形式表示肯定的意思，而以肯定的形式表示否定的意思。“可以人而不如鸟乎？”当然不可以。连鸟都能知止，何况是人？

反问格，由于总是采取不容置疑的语气来表达确定的内容，这可以使重要的内容得到强调突出，并能有力地激发人们进一步思考问题；又使得作品气势峭劲，挺拔有力，易于感人。（参本书《中庸》第三十二章“反问”）

复句排比：复杂队形

填充题：为人（1），止于（2）。

答案：（1）君、臣、父、子、国人皆可。（2）仁、敬、孝、慈、信皆可。

如果写成一个句子，就是“为人君、臣、父、子，就要分别以仁、敬、慈、孝为终极目标。”但这样子写，有一点不清不楚，不干不脆。所以《大学》还是写成了五个句组，成为很整齐的“复句排比”。

要表达相同范畴的意思，必须要用三个以上句组（即以二个以上的句子为一组），才可以交代清楚，所以就有了复句的排比。（参本书《大学》“经文”章第一节“排比兼层递”）

互文：一种省略方式

本章用切磋比喻讲求学问，用琢磨比喻自我修习，只是为了行文的方便。其实这两件事情的道理可以互通。也就是说，君子的道学和自修，好像是雕琢兽骨、象牙和玉石，都需要切磋琢磨，不然器物就不能成为美器，而君子就不会有完美的德行。这里用的是“互文修辞法”。这种修辞法，《中庸》也有多处用到。（参本书《中庸》第十九章）

王占福说：为避免行文的单调呆板，或为适应文体表达的需要（如格律、对偶、音节等），经常把一个意思完整或意思比较复杂的语句有意识地拆开，分成两个（或三个）语句相同（或基本相同）、用词交错有致的语句，使这两个（或三个）语句的意义内容具有彼此隐含、相互呼应、相互补充的关系，但在解释时必须前后互为补充或互相拼合语句的意义。这种修辞方式叫作互文，又称互文见义、互辞等。（王占福《古代汉语修辞学》第 189 页）

转品

“贤其贤”、“亲其亲”、“乐其乐”、“利其利”，四组相同的字，词性却都有不同。这是一种“转品”。（参本书《大学》“经文”章第一节）

对比

“君子”和“小人”产生“对比”。（参本书《大学》第六章）

【会通】

“知止”的现代意义

本章是“止于至善”的申论，但都止于理想目标的建立和实践的态度。以现代人的生命管理来说，“知止”有其深刻意义。

“知止”就是要懂得说“不”。人的欲望无穷，到处充满诱惑。庄子说：“吾生也有涯，而知也无涯，以有涯随无涯，殆已。”所以，我们要“知止”，懂得什么事该做，什么事不该做，懂得什么朋友该交，什么朋友不该交。有时，话到嘴边留半句，比全说了好。有时守口如瓶又比说半句好。尤其重要的是承诺，要答应一件事，只要点个头，说一声“是”或“好”就成了，但之后也许要为无谓的承诺而疲于奔命，或落到轻诺寡信的下场。

“知止”不但是懂得选择，还要懂得“专注”，集中时间、人力、财力资源于少数重要目标，甚至是唯一目标。人若是什么都想做好，结果就是什么都没做好。我父亲常常提醒我：“行行通，样样松。”我的老师夏起晋也常常提醒学生“要科科皆长，一科专”。

“知止”有时候也意味着“适可而止”，适度满足，不要太过分，过度吹毛求疵。有时，为了“顾此”，不得不“失彼”，在某些地方适时松手放弃。

王永庆力行“大学之道”

《论语》像是散落的珍珠，能再把它串起来的没有几个人。所以，要能以“半部《论语》治天下”并不容易。《大学》只有一千七百四十七字，却纲举目张，容易掌握要旨。

经营之神王永庆，就颇能领会《大学》的精髓。他说：“管理没有秘诀，只看肯不肯努力下功夫，凡事求得合理化。台塑经营管理的理念是追根究底、止于至善。”

细读王永庆的相关论著，千言万语，不过三个要点：合理化、追根究底和止于至善。他目标明确，就是要赚钱，原则清楚，就是改进效率，而努力过程就是不断日日新、又日新。王永庆只读过小学，他却是最懂得运用“大学之道”于经营管理的人。

孔子的诗教

古人说话喜欢引经据典。孔子对于《诗经》尤有偏好。他不但言谈之间常常要引用《诗经》(《论语》引用《诗经》文字共十四次),更随时督促提醒自己的儿子(鲤)读《诗》,告诉他:“不学《诗》,无以言。”(《论语·季氏》)另外他也说“兴于《诗》,立于《礼》,成于《乐》”。(《论语·泰伯》)他的诗教最得我心的一句话则出现于《论语·阳货》篇。子曰:“小子何莫学夫《诗》?《诗》可以兴,可以观,可以群,可以怨。迩之事父,远之事君;多识于鸟兽草木之名。”意思是说:“弟子们,何不多学些《诗》呢?读《诗》可以兴发志气,可以观览各地风土民情,可以了解社会人群,还可以知晓民怨,从而规正施政得失。近可用来事奉父亲,远可用来事奉国君,还可以认识和记忆许多动植物的名称。”《大学》引用《诗经》文字十二次,其中五次出现在本章。《中庸》引用《诗经》文字十六次。这是孔子诗教的延伸。

第四章 释“本末”

子曰:“听讼,吾犹人也,必也使无讼乎!”无情者不得尽其辞,大畏民志。此谓知本。

【语译】

孔子说："担任审判官，听取诉讼双方陈诉，做出公平裁决，我和别人一样。如果可能的话，应该进一步杜绝讼源才对。"不肯说出事情真相的人，不能纵容他信口开河，强词夺理。要能以德服人，使人民真诚，自然兴让息争，因而诉讼的事情就不会发生，根本用不着去审判了。这就叫作"知本"。

【详注】

子曰："听讼，吾犹人也，必也使无讼乎！"

孔子说："担任审判官，听取诉讼双方陈诉，做出公平裁决，我和别人一样。如果可能的话，应该进一步杜绝讼源（以德化人，使他们向善，不致涉讼）才对。"

听讼：审理诉讼、判案。听：断决、判决。犹人：不异于人。必也：转接语。假如可能有所不同之意。必：假设，如果。（大部分注本将"必也"解为"必定"、"力求"、"最要紧"，似未确当。）

无情者不得尽其辞，大畏民志，此谓知本。

不肯说出事情真相的人，不能纵容他信口开河，强词夺理。要能以德服人，使人民真诚（有深深的敬畏之心），自然兴让息争，因而诉讼的事情就不会发生，根本用不着去审判了，这就叫作"知本"。

无情：不合实情。情：指实情道理，与感情无关。尽其辞：畅所欲言。辞：指勉强的狡辩。畏：敬畏。作动词用，“使……敬服”的意思。民志：民心、人心。指社会中多数人的意志所表现的“社会制裁”。

【会通】

文本的问题

前章解释“止于至善”时，引用一大堆子曰、《诗》云，论证并不充分。本章解释“本末”也只有“听讼”的单一事例，更加不足。明方孝孺说：“以听讼释本末，律以前后例不类。”李贽则说：“朱文公既曰明德为本，新民为末，则第一章释明明德，第二章释新民，是本末已释过了，何必又释本末！无乃眉下添眉耶？”

本章最大的不足，在于站在贵族和士大夫的立场说话，一般人是畏惧诉讼的“民”，不是“听讼”者。而且本末也不仅听讼一端。

古代诉讼，强调官威，人民到了官府，心情基本上就是畏惧的——君不见公堂之前恒有“威武”、“肃敬”之告示乎。古代对受害人的保护不足，现代讲究人权，为了所谓“程序正义”，有时“恐龙法官”对于加害人反而过度保护。

第五章　释“格物致知”

此谓知本。此谓知之至也。

【语译】

这就叫作“知本”。这就是知的最极致了。

【详注】

此谓知本。

这就叫作“知本”。

依据程颐的意见，上一章最后一句就是“此谓知本”，所以这句是“衍文”，也就是重复多余的文字。

此谓知之至也。

这就是知的最极致了。

【附注】

朱熹说：“此句之上别有阙文，此特其结语耳。”意思是：这一句像是结尾的语气，前面还缺少了一些文字。而这缺少的部分，正是有关“格物致知”的申论。朱子自己写了以下一段文字：

所谓致知在格物者，言欲致吾之知，在即物而穷其理也。盖人心之灵，莫不有知；而天下之物，莫不有理。惟于理有未穷，故其知有不尽也。是以《大学》始教，必使学者即凡天下之物，莫不因其已知之理而益穷之，以求至乎其极。至于用力之久，而一旦豁然贯通焉，则众物之表里精粗无不到，而吾心之全体大用无不明矣。此谓物格，此谓知之至也。

【语译】

朱子这段文字的意思是：

所谓“致知在格物”就是说，若要实现自我的认知本能，就要针对每一件事物，穷究其原理。因为人的心性，都具备了天赋的认知本能；而天下万事万物，也都有其根本原理。只是因为没有用心穷究事物之原理，所以我们的本能就无法完全发挥。所以《大学》教人的开始，必定使学习的人，针对他所面临的全部事物，无不应用他已经知道的道理为基础，而继续深入探讨，以求达到最高深、最极致的境界。等到由于用功很久，一旦豁然开朗，得以贯通，则事事物物的表面和内在，巨观和微观，都能了悟，而我的心灵的整体本能作用也就没有不明白的了。此就是事理的贯通，也是本能发挥到极限。

【详注】

所谓致知在格物者，言欲致吾之知，在即物而穷其理也。

所谓“致知在格物”，就是说，若要实现自我的认知本能（知识），就要针对每一件事物，穷究其原理。

致知：推及我的知识。格物：依据朱子解释，格物为穷至（至即来的意思）事物的道理。今多宗此说。即物：针对每一件事物。穷：穷究。

盖人心之灵，莫不有知；而天下之物，莫不有理。

因为人的心性，都具备了天赋的认知本能；而天下万事万物，也都有其根本原理。

灵：心性、精神。

惟于理有未穷，故其知有不尽也。

只是因为没有用心穷究事物之原理，所知有限，所以不能够彻底明白。

是以《大学》始教，必使学者即凡天下之物，

所以《大学》教人的开始，必定使学习的人，针对他所面临的全部事物，

莫不因其已知之理而益穷之，以求至乎其极。

无不以已经知道的道理为基础，更加用心深入探讨，以求达到最高深、最极致的境界。

至于用力之久，而一旦豁然贯通焉，

等到由于用功很久，有一天忽然想通了，一切道理都能贯通起来。

豁然：开通貌。

则众物之表里精粗无不到，而吾心之全体大用无不明矣。

则天下事物的表面和内在，巨观和微观，都能了悟，而我的心灵的整体本能作用也就没有不明白的了。

表里精粗：内内外外，大大小小。表：指理的大纲。里：指理的条

目。精：细致。粗：大率。

此谓物格，此谓知之至也。

这就叫作“格物”，这就是知的极致了。

【精解】

格物的功夫

《大学》原是贵族的“大人之学”，所说的道德教育理想，要内圣兼外王，也就是政治理想“平天下”的实现。于是道德和政治合而为一，形成了所谓“德治”。德治的追求，当然要以社会的稳定为基础，所以虽然倾听人民的声音极为重要，却要在宗法制度的大架构下进行，讲究遵守礼法伦常而不求知识的创新。因而，所谓“明明德”偏向“明善”，而所谓“致知”，偏向德性之知（或明善）也是免不了的事。有此偏向，“求真”和“明善”会有脱钩，也是很自然的事。因而《大学》对于“细推物理”的“格物”部分略而未谈，并非无因。

朱子说：“盖释格物、致知之义，而今亡矣，闲尝窃取程子之意以补之”，但他所写的是否即《大学》原意，已难认定，所以不能视为本文的一部分。

陈立夫认为，《中庸》第二十章所讲的博学、审问、慎思、明辨、笃行等五阶段功夫，正可善尽“格”的工夫，可备一说。（《四书道贯》第22页）

不过若从今日治学观点立论，讲“格物致知”最深入的当属诺贝尔奖得主、美籍华裔物理学家丁肇中。九一年他于北京以《应有格物致知精神》为题，发表演讲。下面就是他的演讲词摘要：

丁肇中说“格物致知精神”

在中国传统教育里，最重要的书是“四书”。“四书”之一的《大学》里这样说：一个人教育的出发点是“格物”和“致知”。就是说，从探察物体而得到知识。用这个名词描写现代学术发展是再适当也没有了。现代学术的基础就是实地的探察，就是我们现在所谓的实验。

但是传统的中国教育并不重视真正的格物和致知。这可能是因为传统教育的目的并不是寻求新知识，而是适应一个固定的社会制度。《大学》本身就说，格物致知的目的，是使人能达到诚意、正心、修身、齐家、治国的田地，从而追求儒家的最高理想——平天下。因为这样，格物致知的真正意义被埋没了。

儒家传统的看法认为，天下有不变的真理，而真理是“圣人”从内心领悟的。圣人知道真理以后，就传给一般人。所以经书上的道理是可“推之于四海，传之于万世”的。这种观点，经验告诉我们，是不能适用于现在的世界的。

科学进展的历史告诉我们，新的知识只能通过实地实验而得到，不是由自我检讨或哲理的清谈就可求到的。

我觉得真正的格物致知精神，不但是在研究学术中不可缺少，而且在应付今天的世界环境中也是不可少的。在今天一般的教育里，我们需要培养实验的精神。就是说，不管研究科学，研究人文学，或者在个人行动上，我们都要保留一个怀疑求真的态度，要靠实践来发现事物的真相。现在世界和社会的环境变化得很快。世界上不同文化的交流也越来越密切。我们不能盲目地接受过去认为的真理，也不能等待“学术权威”的指示。我们要自己有判断力。在环境激变的今天，我们应该重新体会到几千年前经书里说的格物致知真正的意义。这意义有两个方面：第一，寻求真理的唯一途径是对事物客观的探索；第二，探索的过程不是消极的袖手旁观，而是有想象力的有计划的探索。希望我们这一代对于格物和致知有新的认识和思考，使得实验精神真正地变成中国文化的一部分。（转引自姚金铭《大学智慧》）

【会通】

古书的补写问题

《文心雕龙》认为，文章之法，有隐有秀，有些意思，含蓄潜藏于字里行间已足，甚至更耐人寻味。《古本大学》自有其完整的内在结构，即使有阙漏，也只能像“未完成交响曲”一般，保持原貌。所以，对于改编和补写不以为然的学者也不少。

劳思光说：朱子的补传，代表朱子承程门的学说，未必即《大学》原意。但自朱注《四书》通行于世之后，他所改编的地方，与他作的补传，都变为定本。这是时势使然。学者不可因此

便以为朱子之补传是《大学》原意。（劳思光《大学中庸译注》第16页）

傅佩荣也说：由于这份文本并未谈到“格物致知”，于是朱熹再依程颐之意作了“补传”。这在我国经典的传承史上可谓创举。朱熹这种作法并不合适。关于古代经典，即使可能有刻错写错的字句，但我们后人连增减一字都须万分谨慎，何况是像朱熹一般擅自增加一百三十四个字呢？（傅佩荣《大学中庸解读》第12页）

豁朗期

朱子所谓“豁然贯通”的境界，在心理学上也有相关研究。

英国心理学家瓦拉斯（G. Wallas）于1926年将创造历程分为四个阶段：准备期、潜伏期、豁朗期、验证期。朱子所谓“因其已知之理而益穷之”就是“准备期”，“用力之久”就是中间还有思而未得，没完全贯通，进入“潜伏期”，到了“豁然贯通”，就是“豁朗期”。科学史上，有很多重要发明都是在睡梦中（潜伏期）想出来的。

苯在一八二五年由英国科学家法拉第首先发现。此后几十年间，人们一直不知道它的结构。所有的证据都表明苯分子非常对称，大家实在难以想象六个碳原子和六个氢原子怎么能够完全对称地排列、形成稳定的分子。一八六四年冬的某一天，德国化学家凯库勒坐在壁炉前打了个瞌睡，原子和分子们开始在幻觉中跳舞，一条碳原子链像蛇一样咬住自己的尾巴，在他眼前旋转。猛然惊醒之后，凯库勒明白了苯分子是一个环，就是现在充满了我们的有机化学教科书的那个六角形的圈圈。后来，人们发现苯的分子结构远比凯库勒想象的复杂得多，这是后话，不过，凯库勒提出的苯的结构图（习惯上称为“凯库勒式”）能解释一些现象，仍然有一定的价值。(引自中国网《科学史上四个著名的梦》)

凯库勒的梦，就是“日有所思，夜有所梦”的结果。所以“思而不得”也不会完全白费，潜意识会继续发挥作用，直到进入豁朗期。

第六章　释“诚意”

所谓“诚其意”者，毋自欺也。如恶恶臭，如好好色，此之谓自谦，故君子必慎其独也。

小人闲居为不善，无所不至；见君子而后厌然揜其不善，而著其善。人之视己，如见其肺肝然，则何益矣？此谓诚于中，形于外。故君子必慎其独也。

曾子曰：“十目所视，十手所指，其严乎！”富润屋，德润身，心广体胖。故君子必诚其意。

【语译】

所谓“诚其意”（使意念真诚）的意思，就是不要欺骗自己。讨厌恶事，要像讨厌难闻的气味一般自然，喜欢好事，也要像喜欢看美好的颜色一样自然。这样做就是所谓“自谦”，也就是顺乎本性，才能自我满足。所以有德的人，若要使意念纯正，必须在独处的时候力求谨慎。

小人平日独处的时候，就会做坏事，没有什么不敢做的。当他们见到君子的时候，就会掩掩遮遮地掩饰自己的坏处，而刻意表现自己好的一面。人的心思，很容易以肢体语言和表情泄露出来，就好像内脏都被看透了的样子。刻意遮掩和表现又有什么用呢？这就是所谓内心的真诚与否，外表就会显现出来。所以君子在独处的时候，要更加谨慎。

曾子说：“被十只眼看着，被十只手指着，这是多么严厉的事呀！”财富可以装饰屋子，德行可以使自身有光彩。心怀坦荡，体貌自然舒泰。因此君子一定要真诚地面对自己的意念。

【详注】

所谓“诚其意”者，毋自欺也。

所谓“诚其意”（使意念真诚）的意思，就是不要欺骗自己。

诚其意：使意念真诚。诚：使，动词。者：语气词，用于判断句，放在主语后，引出判断。毋：不要。副词，表示对祈使的否定，用在动词之前，表示禁止或者劝阻，相当于“不要”、“莫”、“别”。自欺：欺骗自己。也：表示判断或肯定的语气。

如恶恶臭，如好好色，

讨厌恶事，要像讨厌难闻的气味一般自然；喜欢好事，也要像喜欢看美好的颜色一样自然。

恶恶臭：讨厌污秽的气味。第一个“恶”是“憎恨、讨厌”的“恶”（wù），第二个“恶”（è）字是形容词，指不好。恶臭，指污秽的气味，较现代单指臭味的含义广泛。臭（xiù）：气味。不像今日用来和“香”做对比。好好色：喜爱美好的容色。第一个“好”（hào），喜欢。第二个“好”（hǎo），美好。

此之谓自谦，故君子必慎其独也。

这样做就是所谓“自谦”，也就是顺乎本性，才能自我满足。所以有德的人，若要使意念纯正，必须在独处的时候力求谨慎。

自谦：对自己满意，内心没有遗憾。谦（qiè）：通“慊”，满足、惬意的意思。慎其独：在独自一人时也谨慎不苟；对于只有自己知道的心中意念，也要谨慎觉察其善恶。朱注：“独者，人所不知，而己所独知之地也。言欲自修者知为善以去其恶，则当实用其力，而禁止其自欺。使其恶恶则如恶恶臭，好善则如好好色，皆务决去，而求必得之，以自快足于己，不可徒苟且以徇（xùn，屈从、偏私、环绕）外而为人也。然其实与不实，盖有他人所不及知而己独知之者，故必谨之于此以审其几焉。”

小人闲居为不善，无所不至；

小人平日独处的时候，就会做坏事，没有什么不敢做的。

小人："君子"的反面。闲居：即独处、家居无事。不善：坏事。

见君子而后厌然揜其不善，而著其善。

当他们见到君子的时候，就会掩掩遮遮地掩饰自己的坏处，而刻意表现自己好的一面。

厌然：躲躲闪闪，见不得人的样子或神态。厌（yǎn）：闭藏的样子。孔颖达疏："厌然，闭藏其不善之事。"揜：同"掩"，即遮蔽隐藏。著其善：显现自己好的一面。著（zhù）：显露、刻意表现。

人之视己，如见其肺肝然，则何益矣？

人的心思，很容易以肢体语言和表情泄露出来，就好像内脏都被看透了一般。刻意遮掩和表现又有什么用呢？

如见其肺肝：如同一眼就被看透心肝的样子。然："……的样子"。指小人欲揜其恶而终不可揜，欲诈为善而卒不可诈。"然"能与名词、动词、形容词及其短语结合成固定结构，表示情状，相当于"的样子"、"……似的"。

此谓诚于中，形于外，故君子必慎其独也。

这就是所谓内心的真诚与否，外表就会显现出来。所以君子在独处的时候，要更加谨慎。

诚于中形于外：内心真有什么，外表便显现出什么。中：指内心。外：指外表。独：别人看不到的地方。独处的时候。

曾子曰："十目所视，十手所指，其严乎！"

曾子说："被十只眼看着，被十只手指着，这是多么严厉的事呀！"

比喻一个人的言行，均受到众人的监视注意，不可不慎。“十”表示众多之意，未必是十人或五人。视：看。指：用手指，指责。其：发语词，无义。严：严厉。“千夫所指，无疾而死。”现代传播事业发达，舆论力量强大，已经是万手所指，万目所视了。

富润屋，德润身，心广体胖。

富有可以修饰房屋，德行可以使身心有光彩。心怀坦荡，体貌自然舒泰。

润身：修养自身。润：修饰、润泽。心广体胖：心胸宽广，身体舒泰安康。比喻心怀坦荡，体貌自然舒泰。广：宽大。胖（pán）：大、舒坦。

故君子必诚其意。

因此君子一定要真诚面对自己的意念（使自己的意念真诚）。

【精解】

“厌然”别解

“厌”一般读为掩，是“遮蔽、隐藏”的意思，如作此解，则与后面的“揜”语意重复；“厌”又读嫣。“厌然”就是“安然、安定”。如作此解，则小人在君子前面，故作镇定，若无其事，不但不会重复，还能彰显小人行径。似也可通？

【修辞】

转品：“如恶恶臭，如好好色”，“恶臭”的“恶”本来是形容词，第一个“恶”字转变为动词。同样地，“好”本是形容词，美好的意思。第一个“好”转变为动词以后，是喜欢之意。这种词性转变的现象称为“转品”。（参本书《大学》“经文”章第一节“转品”）

反问：“则何益矣？”这是运用“反问法”，语气更强，更理直气壮。（参本书《大学》第三章“反问”）

借代：“十目所视，十手所指”是以定数代替不定数，表示很多人，这是一种“借代”的修辞方式。（参本书《中庸》第十章“替代”）

【会通】

心广体胖

《升庵经说》引子夏说先王之义战胜于胸臆故肥一事，做“心广体胖”的说明，可以说确切之至。案吴孙权问诸葛恪：“你近来怎么娱乐，怎么会一天比一天‘肥泽’？”恪答道：“我听说，‘富润屋，德润身’。我不敢做别的娱乐，不过注意自己的修养罢了。”可见这“体胖”，三国时人还是作体肥来解。

鸥鸟知人心

《列子·黄帝》："海上之人有好沤（同鸥）鸟者，每旦之海上，从沤鸟游，沤鸟之至者百数而不止。其父曰：'吾闻沤鸟皆从汝游，汝取来，吾玩之。'明日之海上，沤鸟舞而不下也。"

第七章　释"正心"

所谓"修身在正其心"者，身有所忿懥，则不得其正；有所恐惧，则不得其正；有所好乐，则不得其正；有所忧患，则不得其正。心不在焉，视而不见，听而不闻，食而不知其味。此谓修身在正其心。

【语译】

所谓"修身在正其心"，意思是说：因内心发生忿恨时，情绪就会受到干扰而失去平衡。在恐惧害怕时，便不能平衡；在欢喜爱好时，便不能平衡；在忧愁烦恼时，便不能平衡。一个人如果注意力无法集中，或另想别事，虽张眼观看，也会看不见，用耳朵听，也听不进去，张嘴去吃，也吃不出味道。就这是"修身在正其心"的道理。

【详注】

所谓“修身在正其心”者，

所谓“修身在正其心”，意思是说：

正其心：端正他的心思。

身有所忿懥，则不得其正；有所恐惧，则不得其正；

自己生气了，情绪就会受到干扰而失去平衡。在恐惧害怕时，便不能平衡；

程颐说：“身有之身当作心。”身：指自身，包含身心各方面。忿懥（zhì）：生气。懥：怒。

有所好乐，则不得其正；有所忧患，则不得其正。

在欢喜爱好时，便不能平衡；在忧愁烦恼时，便不能平衡。

好乐（hào yào）：喜好、欣赏。

心不在焉，视而不见，听而不闻，食而不知其味。

一个人如果注意力无法集中，或另想别事，虽张眼观看，也会看不见，用耳朵听，也听不进去，张嘴去吃，也吃不出味道。

心不在焉：心不存于此。指情绪失去平衡，无法集中注意力去思考或自我检讨。焉：于此，代名词，指心所在的地方。朱注：“心有不存（心不在焉），则无以检其身，是以君子必察乎此，而敬以直之，然后此心常存而身无不修也。”

此谓修身在正其心。

这就是“修身在正其心”的道理。

【精解】

劳思光说“正心”

忿懥、恐惧、好乐、忧患，都是从心发动而人所不能免的，如果不能察觉它是不是合理，应当不应当，一任感情冲动而不加节制，邪心为情欲所牵，当然就失去其平正，修身也就谈不上了。所以说，修身，在于要能正心。（劳思光《大学中庸译注》）

【修辞】

类叠：文字的旋律

如果在一段文字中，同样的字、词或句，接二连三地重复出现，使用的修辞法就是“类叠”、“反复”或“复迭”。

邢光祖说：作家以重复字来织结他的意念，正如同泥水匠将他的砖块一块一块地叠起来。其次，用来作意念的强调（强化中心论旨，制造较大音响）。第三，就是用来产生情感的激荡力（回响）。（邢光祖《英语修辞学》）

《大学》里面出现的反复字、词特别多。类叠的修辞法，也往往与“排比”、“联珠”、“递进”等修辞法同时存在。例如本章：“有所……则不得其正”连续出现五次。这是“类叠”，也是“排比”。又如《大学》经文章第二节、第八章、第九章，《中庸》第二十章、三十一章等，也有很多文字上的类叠。

【会通】

情绪与价值判断

人间本来就是个有情世界，有喜怒哀乐，才会有多彩人生。情绪固然不能毫无节制，但也不可过于压抑，事实上情绪可以帮我们做选择，给我们价值，给我们智能。在写作本书的同时，我也为时报文化出版社翻译了一本《未来物理学》，其中提及人之所以异于机器人，最重要的就是人可以做价值判断。兹特摘录部分文字如下，希望能为读者带来另类思考：

科学家现在已经了解情绪的真正性质。第一，情绪告诉我们，什么对我们有益，什么对我们有害。世界上大多数事物，既非对我们有害，也不会很有用。当我们经验“喜欢”的情绪时，我们是在学习确认环境中对我们有益的细微事物。

事实上，我们的每一种情绪（恨、妒忌、恐惧、爱等等），都是经过数百万年演化形成，以便在充满敌意的世界保护我们，免于危险，并帮我们繁衍后代。每一种情绪都会借由基因繁殖到下一代。

南加州大学神经学家安东尼欧·达马西欧曾对脑部伤害的病人进行研究。有一部分病人大脑中的思考部分（大脑皮层）和情绪中心（位于大脑中心深处，像个杏仁核）的联系被切断。这些人除了情绪的表达有困难，其他功能一切正常。

有一个问题立刻明显出现：他们无法做选择。购物成为梦魇，因为所有的东西，不论贵或便宜，俗艳或高雅，对他们而言价值都相同。设定约会几乎不可能，因为未来的每一天都相同。他说，他们似乎“知道，却无感觉”。

换句话说，情绪的主要目的之一，就是给我们价值，然后我们才能决定什么是重要的，什么是昂贵的，什么是美丽的以及什么是珍贵的。没有情绪，所有的事物等值，我们将因无法做决定而麻痹，因为不论做任何决定，重要性都相同。所以科学家现在开始了解，情绪乃是智慧的必要因素，而非奢侈的。（加来道雄《未来物理学》）

第八章　释“修身”

所谓“齐其家在修其身”者，人之其所亲爱而辟焉，之其所贱恶而辟焉，之其所畏敬而辟焉，之其所哀矜而辟焉，之其所敖惰而辟焉。故好而知其恶，恶而知其美者，天下鲜矣。故谚有之曰：“人莫知其子之恶，莫知其苗之硕。”此谓身不修，不可以齐其家。

【语译】

所谓“管理好自己的家庭或家族，全靠培养自己的德性”，意思是说：一般人对于所亲爱的人，表现会有偏爱、包庇；对于自己所看不起和厌恶的人，常有偏见；对于他所畏惧或敬重的人，常有偏僻；对于他所同情或哀怜的人，常有偏心；对于他所傲视及轻慢的人，常有偏颇。因此，喜爱一个人又知道他的缺点、厌恶一个人又知道他的优点的人，才是不受感情蒙蔽的人，这种人在世界上是不多的。因此有俗谚说："人有溺爱之心，往往不知自己儿子的缺失，也感觉不到自己的禾苗有多么高大茂盛。"这就是所谓"自身不修养，就不能管理好自己的家庭或家族"。

【详注】

所谓"齐其家在修其身"者，

所谓"管理好自己的家庭或家族，全靠培养自己的德性"，意思是说：

齐：和谐整齐；公平有序。家：家庭。也指古代大夫的家族。

人之其所亲爱而辟焉，之其所贱恶而辟焉，

一般人对于所亲爱的人，表现会有偏爱、包庇；对于自己所看不起和厌恶的人，常有偏见；

人：众人。之：即"于"，对于。其：他、他们。用于第三人称。亲爱：指自己所亲爱的人。辟（pì）：同"僻"，偏僻、偏差、情感上的偏袒、偏见，即偏而不正。辟：又同"譬"，比喻的意思。（南怀瑾说它"甚至有病癖的意义"）焉：语气词，置句末。贱恶（wù）：指自己所看不起和厌恶的人。

之其所畏敬而辟焉，之其所哀矜而辟焉，之其所敖惰而辟焉。

对于他所畏惧或敬重的人，常有偏僻（谄媚之言）；对于他所同情或哀怜的人，常有偏心；对于他所傲视及轻慢的人，常有偏颇。

畏敬：害怕和敬重的人。哀矜：同情、怜惜。敖惰：傲视轻慢。敖，通“傲”，不敬重、倨慢。惰：怠慢、不敬。

故好而知其恶，恶而知其美者，天下鲜矣。

因此，喜爱一个人又知道他的缺点、厌恶一个人又知道他的优点的人，才是不受感情蒙蔽的人，这种人在世界上是不多的。

好（hào）喜爱。“知其恶”的“恶（è）”，缺点。“恶而”的“恶（wù）”，作动词用，憎恨、厌恶。鲜（xiǎn）：稀少。

故谚有之曰：“人莫知其子之恶，莫知其苗之硕。”

因此有俗谚说：“人有溺爱之心，往往不知自己儿子的缺失，感觉不到自己的禾苗有多么高大茂盛（还要揠苗助长）。”

谚：俗语。有：与“无”相对，表示存在。莫：不、没有。“恶”：一般解为“坏处、缺失”。又可解为“丑”（与“美”相对）。硕：大、美好的。朱注：“溺爱者不明，贪得者无厌，是则偏之为害，而家之所以不齐也。”

此谓身不修，不可以齐其家。

这就是所谓“自身不修养，就不能管理好自己的家庭或家族”。

【修辞】

省略：以少胜多

“省略”就是为了文字简洁，在该用字的地方把字省了。我们在对话中，往往有所省略。例如“请坐！”如果要说得完整，就要补足所省略的部分，这样说：“我请你坐！”又如“干杯！”完整的说法是：“我请你喝干这杯酒！”另外，前句已有的主词，后句往往省略。例如：“王老师走进教室来，（ ）向全班同学扫视了一下，（ ）就打开书本，（ ）讲起书来了。”（省略三个“王老师”。参董季棠《修辞析论》第 427 页）

本章也有省略主词的地方，而且一省就是四个：

“人之其所亲爱而辟焉，（人）之其所贱恶而辟焉，（人）之其所畏敬而辟焉，（人）之其所哀矜而辟焉，（人）之其所敖惰而辟焉。”本来是五个以“人”为主语的句子，这样子一再重复写出，会显得累赘，所以就把后面四个“人”字省略了。

重复有理？

不过上述句子，就“之其所……而辟焉”重复使用五次而言，则属于“类叠”（参本书《大学》第七章“类叠”），如果真要省略，应当可以写成一句：“人之其所亲爱、贱恶、畏敬、哀矜、敖惰而辟焉。”这样子的改法好不好？我们会在第二十章第八节进一步讨论。

余光中说“正宗中文”

诗人余光中昨天为中山大学毕业生致辞，提醒大家，不要把英文习惯带到中文，一定要用“正宗中文”。余光中认为“中文西化”现象日益严重。他表示，每种语言都有其特色，中文与英文各有特质，学生努力学英文之际，不要把英文习惯带到中文里，“让原本清清楚楚的用语，变成非驴非马的奇怪句子”。

他以唐朝诗人贾岛的《寻隐者不遇》为例。教外国人中文时，若以字面直译，外国人雾煞煞，只得将五言转成七言，变成“我来松下问童子，童子言师采药去；师行只在此山中，云深童子不知处。”英文语法少不了主词，但中文的弹性就很大。（一〇〇年六月十二日《联合报》）

【会通】

富兰克林的十三美德

富兰克林曾经下决心使自己不犯错，但他很快发现自己往往顾此失彼，有兴趣追求完美并不足以防止失足，因而坏习惯必须打破,好习惯才能建立。他拟定了十三项自己要培养的德性——为求明确，宁可多用几个项目。

1. 节制：食不过饱，饮不过量。

2. 沉默：多听少说，言必有益。

3. 秩序：物有定位，事不拖延。

4. 决心：当机立断，坚持不懈。

5. 节俭：利人利己，绝不浪费。

6. 勤勉：爱惜光阴，避免徒劳。

7. 真诚：诚实无欺，公平有信。

8. 正直：不伤害人，尽职无私。

9. 中庸：宽大为怀，不走极端。

10. 整洁：身体衣屋，常保洁净。

11. 宁静：随遇而安，一心不乱。

12. 贞洁：节欲自爱，珍惜名誉。

13. 谦虚：学习耶稣、苏格拉底。

他说："我的目标是养成所有的美德。但我认为试图全部同时达成会使我注意力过于分散，所以只能一段时间只专注于其中一项。等我掌握了那个德性，然后再进行下一项，其余各项也都如此，直到完全做到这十三项。由于前面习得的某些德性，会有助于以后某些德性的养成。所以我安排了这个次序。节制往往会有冷静清楚的头脑，可以对旧习惯的诱惑保持警觉。有了节制，沉默的德性就容易多了。我发觉经由耳朵学到的比经由舌头的还要多。秩序会使我有更多时间完成计划和学习。决断的习惯使我努力不懈，获得其他德性。每日检讨是必要的。"

他也制作一个小册子，来检讨并记录自己的进展。一项德性一页。划上七直列，代表一星期中的一天。十三横行，每行代表一个德行。

他决定每星期执行一项德性。第一星期，集中注意于不违反

“节制”，其余平常看待，只是每晚在当天的格子内以一个小黑点记下错误。第一星期努力让第一行干净。第二星期，兼顾前两项，依此类推，如此可以在十三星期内完成一轮。一年内可以进行大约四轮。限于篇幅，还有很多细节，无法在此详述。

就修身而言，光是意愿是不够的，执行不得要领也很难有成果。富兰克林的十三美德，正可以为“正心修身”作一个明确可行的脚注。

富兰克林可以说是近代的圣人之一。我很幸运地在年轻时代，买到一本他的自传，每隔一两年，我都会重新阅读它，每次都深受启发。

第九章　释“齐家”

9-1（先齐其家）

所谓治国必先齐其家者：其家不可教，而能教人者，无之。故君子不出家，而成教于国。孝者，所以事君也；弟者，所以事长也；慈者，所以使众也。《康诰》曰：“如保赤子。”心诚求之，虽不中，不远矣，未有学养子，而后嫁者也。

【语译】

所谓“要管理国家，必须先管理好自己的家庭或家族”，意思就是：连自己的家都没有好好教育，反而能教化别人这种事，是没有的。所以，一个有德的人，不需要走出家门，就能够在国人中完成教化。孝顺父母的道理，是事奉国君的基础；尊敬兄长的道理，是事奉尊长的基础；照顾子女的道理，是指挥群众的基础。《尚书·康诰》说：“爱护人民，要如同保育婴儿一般。”只要诚心地去推求，虽不能尽合治国之道，但也相去不远了。从来没有女子是先学会养育孩子，然后才出嫁的。

【详注】

所谓治国必先齐其家者，

所谓“要管理国家，必须先管理好自己的家庭或家族”，意思就是：

治国：治理国家政务。家：家庭和家族。先秦典籍中用“家”字乃指贵族的家族而言。《大学》成书虽可能较晚，但这种用法仍和先秦时一致。

其家不可教，而能教人者，无之。

连自己的家都没有好好教育，反而能教化别人这种事，是没有的。

教：管教、教化。

故君子不出家，而成教于国。

所以，一个有德的人，不需要走出家门，就能够在国人中完成教化。

孝者，所以事君也；弟者，所以事长也；慈者，所以使众也。

孝顺父母的道理，是事奉国君的基础（君臣关系是父子关系的延长）；尊敬兄长的道理，是事奉尊长的基础；照顾子女的道理，是指挥群众的基础。

所以：方法。弟（tì）：同“悌”，敬重兄长。慈：慈爱。使：派遣、使令。《康诰》曰：“如保赤子。”

《尚书·康诰》说：“爱护人民，要如同保育婴儿一般。”（治国经验并非绝对重要）

保：养护。赤子：婴儿。婴儿刚出生时，颜色红润，所以叫赤子。

心诚求之，虽不中、不远矣，

只要诚心地去推求，虽不能尽合治国之道，但也相去不远了。

求：找寻、探索，设法得到。中（zhòng）：符合、达到要点。

未有学养子，而后嫁者也。

从来没有女子是先学会养育孩子，然后才出嫁的。

这句话作为“喻体”，用来比喻“主持国政者，不一定要有经验，诚心最重要”。但婚前若能有一些教养知识，不是更好吗？

【修辞】

排比:“孝者，所以事君也；弟者，所以事长也；慈者，所以使众也。”这是三者并列的“排比”句。(参本书《大学》“经文”章第一节“排比”)

譬喻:“如保赤子”应用了“譬喻”的技巧，被譬喻的对象(本体“爱护人民”)却省略了。(参本书《大学》“经文”章第三节“譬喻”)

9-2（以身作则）

一家仁，一国兴仁；一家让，一国兴让；一人贪戾，一国作乱；其机如此。此谓一言偾事，一人定国。

【语译】

能够在一个家中实践仁爱，全国的人也会跟着兴起仁爱的风气。能够在一个家中谦让，全国的人也会跟着兴起谦让的风气。一国之君若是贪婪凶暴，整个国家都会陷入混乱。它的关键所在就是这样。这就是所谓“一句错话，就能败坏事情。一位贤君，就能使国家安定”。

【详注】

一家仁，一国兴仁；

能够在一个家中实践仁爱，全国的人也会跟着兴起仁爱的风气。

仁：宽惠善良的德行。兴：兴起。指风气说。

一家让，一国兴让；

能够在一个家中谦让，全国的人也会跟着兴起谦让的风气。

让：谦让、退让。

一人贪戾，一国作乱。

一国之君若是贪婪凶暴，整个国家都会陷入混乱。

一人：指一国之君。贪戾：贪婪凶暴。作乱：暴乱。

其机如此。

它的关键所在就是这样。

机：契机、事物发生、变化的原由，指明白事物变化的微妙关键。

此谓一言偾事，一人定国。

这就是所谓“一句错话，就能败坏事情。一位贤君，就能使国家安定。”

偾（fèn）：覆败、败坏。定：使平静、使稳固。

【修辞】

排比：“一家仁，一国兴仁；一家让，一国兴让；一人贪戾，一国作乱。”运用了“排比”技巧。（参本书《大学》“经文”章第一节“排比”）

9-3（仁恕之道）

尧舜帅天下以仁，而民从之。桀纣帅天下以暴，而民从之。其所令反其所好，而民不从。是故君子有诸己，而后求诸人；无诸己，而后非诸人。所藏乎身不恕，而能喻诸人者，未之有也。故治国在齐其家。

【语译】

尧、舜用仁德来领导天下的人，人民就追随他；桀、纣用残暴领导天下的人，人民也跟着上行下效。领导者所发出的命令和他自己所喜好的相反，人民就不会顺从。所以在位的君子要自己先有美德，然后才能要求人民有美德；自己没有做坏事，然后才能责备他人的过错。自己心中若无恕道，却能让他人明白恕道，那是从来没有的事。

【详注】

尧舜帅天下以仁，而民从之。

尧、舜用仁德来领导天下的人，人民就追随他。

尧舜：古代圣王的代表。帅：同“率”，率领、领导。从：跟随、顺从。

桀纣帅天下以暴，而民从之。

桀、纣用残暴领导天下的人，人民也跟着上行下效（上梁不正下梁歪）。

桀纣：夏商两代的暴虐无道之君。商汤把桀放逐到南巢（现在安徽巢县东北五里），夏朝就灭亡了。周武王把商纣杀了，商朝也灭亡了。

其所令反其所好，而民不从。

领导者所发出的命令和他自己所喜好的相反（自己办不到，却要别人遵守），人民就不会顺从。

令：命令、法令。

是故君子有诸己，而后求诸人；

所以在位的君子要自己先有美德，然后才能要求人民有美德；

有诸己：先使自己有善行。有：表事实、状况的正面存在，与“无”相对。诸：“之于”二字的合音。“之”是代词，“于”是介词。求：要求。

无诸己，而后非诸人。

自己没有做坏事，然后才能责备他人的过错。

非诸人：责备别人的过错。非：责难。

所藏乎身不恕，而能喻诸人者，未之有也。

自己心中若无恕道，却能让他人明白恕道，那是从来没有的事。

藏：怀藏、积藏、储存。乎：相当于“于”。恕：推己及人之道，为别人设身处地。喻诸人：即使人信从了解。喻：晓喻、开导。

故治国在齐其家。

因此君子治理国家的基础在于齐家。

【精解】

说舜

舜是传说中的父系氏族部落联盟领袖。姚姓，一说妫姓，号有虞氏，名重华，史称“虞舜”。相传因四岳推举，尧命他摄政。他巡行四方，除去共工、驩兜、三苗、鲧等四人。尧去世后继位，又咨询四岳，挑选贤人，治理民事，并选拔治水有功的禹为继承人。

9-4（诗歌感发）

《诗》云：“桃之夭夭，其叶蓁蓁，之子于归，宜其家人。”宜其家人，而后可以教国人。《诗》云：“宜兄宜弟。”宜兄宜弟，而后可以教国人。《诗》云：“其仪不忒，正是四国。”其为父子兄弟足法，而后民法之也。此谓治国，在齐其家。

【语译】

《诗经》上说：“桃树美丽而又茂盛，真是枝繁叶茂。小姐出嫁了，一家人和乐相处。”能和家人和乐相处，然后才可以教化国人。《诗经》上又说：“兄弟和睦相处。”必须能与兄弟和睦，然后方能够教化国人。《诗经》上又说：“他的言行举止没有偏差，可以作为四方诸侯树立模范。”一个人在家族生活中扮演父亲、儿子、兄长、弟弟的角色，都足以为人效法；然后人民才会效法他。这就是所谓“君子治国的基础在于齐家”。

【详注】

《诗》云："桃之夭夭，其叶蓁蓁，之子于归，宜其家人。"

《诗经》上说："桃树美丽而又茂盛，真是枝繁叶茂。（在这良辰美景中）小姐出嫁了，和整个家族和乐相处。"

《诗》：引自《诗经·周南·桃夭》。夭夭：少壮美盛的样子。其：它们的。蓁蓁：草木茂盛的样子。之子：这个姑娘。古代男女皆可称子。于：语助词。归：女子出嫁。家人：指家族的成员。宜：合适、相称。

宜其家人，而后可以教国人。

能和家族成员和乐相处，然后才可以教化国人。

教：训诲、诱导、教育。

《诗》云："宜兄宜弟。"

《诗经》上又说："兄弟和睦相处。"

《诗》：引自《诗经·小雅·蓼萧》。宜兄宜弟：《毛传》："为兄亦宜，为弟亦宜。"即以天子在兄弟关系中处事得宜，赞美其人主之风。宜：相安、和顺。

宜兄宜弟，而后可以教国人。

必须能与兄弟和睦相处，然后方能够教化国人。

教：训诲、诱导。

《诗》云："其仪不忒，正是四国。"

《诗经》上又说："他的言行举止没有偏差，可以作为四方诸侯树立模范。"

《诗》：引自《诗经·曹风·鸤鸠》。仪："义"的假借，信义，操守。作仪表讲，亦通。忒：偏差。正：领导、使……正。是：这些。四国：四方的邦国。

其为父子兄弟足法，而后民法之也。

一个人在家族生活中扮演父亲、儿子、兄长、弟弟的角色，都足以为人效法；然后人民才会效法他。

为：做、担任。法：仿效。

此谓治国，在齐其家。

这就是所谓"君子治国的基础在于齐家"。

【精解】

家室、家人的原意

家室，西周、春秋时期的"家"和"室"均指宗法血缘家族。大的家族长或室主均为卿大夫一级的贵族。"家室"不仅包括了血缘家族中的人口，还包括属于这个家族的土地等全部物质财产，个人完全淹没在家族之中。《孟子》所谓的"丈夫生而愿为之有室，女子生而愿为之有家"是战国以后才有的情况。所以，此诗中的"家室"、"室家"和"家人"皆指血缘宗法家族，而不是指一般意义上的配偶和夫妻。从这意义上讲，《桃夭》乃当时家族成员之间通用的贺婚之诗。（雒三桂注释《诗经新注》）

【修辞】

“兴”就是象征

朱注：“夭夭，少好貌。蓁蓁，美盛貌。兴也。”又说“兴，谓有所感发而兴起也。”兴，就是象征的意思。由桃叶嫩绿茂盛，联想（兴发）到家要和谐茂盛、其乐融融。

《诗经》有三种主要的写作技巧：赋、比、兴。赋，就是开门见山，直接说出来。比就是譬喻，是一种相似性的联想。而兴，是一种接近性的联想。看到松，想到坚贞。看到莲，想到出污泥而不染。看到的是可以触知的景物，而想到的却是抽象的概念。

《大学》和《中庸》直接说理较多，近于“赋”，“比”则比较少用，“兴”就更少了。第十章的“节彼南山，维石岩岩”，由山的高峻，想到人的威严。是“兴”，也是“象征”。（参本书《大学》“经文”章第一节“象征”）

语助词

归，是“女子出嫁”，“于归”，还是“女子出嫁”的意思。“于”是“语助词”也是所谓“音节助词”。

音节助词，分别用在单音节的名词、动词、形容词、副词之前，增加一个音节，并无实义。古代学者所谓“一字不成词，则加某字以配之”，即指单音词前加一个音节助词，使成双音词，大概只是为了音节协调、句式整齐。

如“阿”字口语中常见，如“阿姨”、“阿爸”。“有”作辅助音节，应用最早最久，如“有明一代”、“有清一代”。“于”字用于动词之前，在《诗经》中用得较多。

【会通】

家，光是“齐”是不够的。

由于“家”的定义，古今不同。所以古人谈到“家”，往往指的是“家族”，除了侧重大夫之家或男性家长的责任之外，常有集体观念，把家看成一个整体。本章和上一章谈“齐家”，重点在于齐家以修身为基础，要做到不偏心、公平及相处要和谐。这样的“齐家”，只是“修身”与“治国”之间的过渡，核心家庭的幸福美满并非重点。因此在五伦之中与家有关的部分，只讲父子、兄弟关系而不及于夫妇。父子关系只讲父慈、子孝，对于子女的教养，只讲诚心与身教，而忽视胎教与亲职的准备，更别说持家所需的理财观念、休闲娱乐及其他幸福家庭所需的内涵了。

反面教材

这一段是说，只要做好修身齐家，就能把国家治理好。德性和诚意比治国经验更重要。只要有诚意推求，就能将在家族中培养的德性，包括孝、弟、慈等，应用于事君、事长和使众。这在古代是齐家以德治国的理想。在今日，即使是公认为家庭美满，公认具有温、良、恭、俭、让等修养的总统，面对各方利益冲突，仍可能天天扮演着父子骑驴顾此失彼的戏码。

不过，若从现代核心家庭的观点来检验，反面教材则到处都是。美国肯尼迪总统的弟弟爱德华·肯尼迪，因车祸溺毙女伴及其他可能被揭露的癖好，而失去竞选总统的机会。一九八七年民主党参议员盖哈特本来在总统初选中声势最强，但因为与莱斯夫人的绯闻而黯然退出竞选。二〇一一年，前国际货币基金会主席卡恩有意竞选法国总统，当时的声望比在任的萨科齐总统还高。没想到却因为性侵案在美国被捕，因而总统梦碎。二〇一二年法国总统大选有了结果，本来被认为声望不如卡恩，不足以撼动萨科齐的奥朗德当选了。卡恩是被自己打败的。所以，没有修身齐家，就很难有机会管理国家，更别说治理的成果了。

第十章　释“治国平天下”

10-1（絜矩之道）

所谓平天下在治其国者，上老老而民兴孝，上长长而民兴弟，上恤孤而民不倍；是以君子有絜矩之道也。所恶于上，毋以使下；所恶于下，毋以事上；所恶于前，毋以先后；所恶于后，毋以从前；所恶于右，毋以交于左；所恶于左，毋以交于右：此之谓絜矩之道。

《诗》云:“乐只君子,民之父母。”民之所好好之,民之所恶恶之,此之谓民之父母。《诗》云:“节彼南山,维石岩岩。赫赫师尹,民具尔瞻。”有国者不可以不慎,辟,则为天下僇矣。

【语译】

所谓“平天下的前提就在治理好国家”的意思,就是说,在上位的人能够孝养老人,人民就会有所感发而兴起孝养的风气;在上位的人能够敬重尊长,人民就会有所感发而兴起友爱兄弟、尊敬长上的风气;在上位的人能够体恤没有父母的孩子,人民就会有所感发而不会有遗弃孤儿的行为。所以有德的君子,有“絜矩之道”,能以同理心审己以度人、推己及人。厌恶在上面的人对待自己的方式,就别那样使唤在自己下面的人;厌恶在下面的人对待自己的方式,就别那样侍奉在自己上面的人。厌恶在前面的人对待自己的方式,就别那样对待自己后面的人,留下坏榜样。厌恶在后面的人对待自己的方式,就别跟着前面的坏榜样,以错误的方式对待在自己后面的人。厌恶在右方的人对待自己的方式,就别那样和在自己左方的人交往。厌恶在左方的人怎样对待自己,就别那样和在自己右方的人交往。这就是所谓“絜矩之道”。

《诗经》上说:“快乐的君子啊,爱民如子,是人民的父母。”喜好人民所喜好的,厌恶人民所厌恶的,这就是所谓人民的父母。《诗经》上又说:“高峻的终南山啊,层峦迭嶂。尊严威仪的周太尹氏啊,人们都仰望着你。”领有国家的人,不可以不谨慎,如果偏邪不守正道，很快地就会被天下的人所弃绝或杀戮！

【详注】

所谓平天下在治其国者，

所谓“平天下的前提就在治理好国家”的意思，就是说：

上老老而民兴孝，

在上位的人孝养老人，人民就会有所感发，而兴起孝养的风气。

老老：孝养老人，前一个“老”字当动词，义为“敬老”。下一个“老”字是名词，指老人。兴：兴起。朱注：“谓有所感发而兴起也。”

上长长而民兴弟，

在上位的人能够敬重尊长，人民就会有所感发，而兴起友爱兄弟、尊敬长上的风气。

长长：尊敬长辈。长（zhǎng）：前一个“长”字当动词，后一个“长”字当名词用。

上恤孤而民不倍；

在上位的人能够体恤没有父母的孩子，人民就会有所感发而不会有遗弃孤儿的行为。

恤：体恤、怜悯。孤：孤儿。倍：同“背”，背弃、遗弃。

是以君子有絜矩之道也。

所以有德的君子，有“絜矩之道”，能以同理心审己以度人、推己及人。

絜矩之道：审己以度人、推己及人的大原则，即“同理心”的发挥。絜（xié）：度量。矩：画直角和方形的工具。引申作“标准”之意。

所恶于上，毋以使下；所恶于下，毋以事上；

厌恶在上面的人指使自己的方式，就别那样使唤在自己下面的人；厌恶在下面的人服侍自己的方式，就别那样侍奉在自己上面的人。

恶：厌恶、不喜欢。使：使唤。事：侍奉。

所恶于前，毋以先后；所恶于后，毋以从前；

讨厌别人插队到自己前面，就别抢先占位，把别人抛在后面。讨厌后面的人在后跟从，就别跟从前面的人。

先（xiàn）：作动词用，先于。从：跟从。

所恶于右，毋以交于左；所恶于左，毋以交于右；

厌恶在右方的和自己交往的方式，就别以那样的方式和在自己左方的人交往。厌恶在左方的人和自己交往的方式，就别以那样的方式和在自己右方的人交往。

交：交往、交接、交易。

此之谓絜矩之道。

这就是所谓“絜矩之道”。

《诗》云：“乐只君子，民之父母。”

《诗经》上说：“快乐的君子啊，爱民如子，是人民的父母。”

《诗》：引自《诗经·小雅·南山有台》。乐：快乐。只：助词，无意义。君子：指贵族。

民之所好好之，民之所恶恶之，此之谓民之父母。

人民喜好的事物他也喜欢，人民厌恶的事物他也厌恶。这就是所谓人民的父母。

好（hào）：第一个“好”是名词，指心中所喜欢的事物。第二个“好”是动词，是爱、喜爱的意思。恶（wù）：第一个“恶”是名词，是指心中讨厌的事物。第二个“恶”是动词，是厌恶的意思。

《诗》云：“节彼南山，维石岩岩。赫赫师尹，民具尔瞻。”

《诗经》上说：“那巍峨高峻的终南山，真是层峦迭嶂。尊贵威严的周太师尹氏啊，人们都仰望着你。”

《诗》：引自《诗经·小雅·节南山》。周幽王重用太师尹氏，大夫家父作此诗讽刺他，批评他擅权误国。节：高峻。彼：那、那个。与“此”相对。南山：终南山，或指南边的山。维：句首语气词，无义。石：山石。岩岩：形容山峰嵯峨迭加的样子。师尹：周太师尹氏（周宣王时做过太师的尹吉甫的后代）。赫赫：形容权位显赫。民：人民。具：俱、全都。尔：你。瞻：仰视、看。

有国者不可以不慎。辟，则为天下僇矣。

领有国家的人，不可以不谨慎。如果偏邪不守正道，很快地就会被天下的人所弃绝或杀戮！

有国者：领有国家、统治国家的人。辟：通“僻”，乖僻、偏邪。僇（lù）：通“戮”，杀戮。郑玄注：“邪辟失道，则天下共诛之矣。”

【精解】

师尹：是一人，还是二官？

师尹，一般解作“太师尹氏”。但王国维《书作册诗尹氏说》说：“师、尹乃二官名。非谓尹其氏、师其官也。”师为王最高军事长官，尹掌册命，为王朝最高文职名称。

雒三桂则指出：“诗中的‘赫赫师尹’，应当就是扶立携王的虢公翰，而虢公翰又很可能就是《史记》所载幽王朝时那位谄佞好利的虢石父。诗人抨击的是权臣及其卵翼的弱主，捍卫的则是嫡子天王的名分。”（雒三桂《诗经新注》第373页）

【修辞】

回文

“所恶于上，毋以使下；所恶于下，毋以事上。

所恶于前，毋以先后；所恶于后，毋以从前。

所恶于右，毋以交于左；所恶于左，毋以交于右。”

这段文字，读来回环往复，像是绵绵不尽，是一种并列式的“回文”。

写到这里，我想起一段往事。有一次，我看到一个招牌，上面写着“专医台中”，很纳闷地对友人说，“只医治台中人，真没医德。”后来才弄清楚，这是“中台医专”。又曾见一个商店高挂“出卖大日本”的红布条，原来是在举行跳楼大甩卖，不是真的有民族仇恨。另外还有一个对联很有意思："人过大佛寺，寺佛大过人。"这回，不会再有误会了。

回文，大致可分为回文句和回文诗两类。回文句是上下的句子，词汇大都相同，而词序的排列相反，成为回环往复的形式。回文诗是整首诗可以顺读，也可以倒读，也是回环往复的形式，不过字数句数加多了。回文句的产生是很自然的。它的运用，在求句意的周到绵密，无懈可击。所以大都用在说理方面，而分条列述的语录式文体中尤其常见。（董季棠《修辞析论》第 373 页）

回文诗可以做到整首诗都可以顺读，也可以逆读。下面这首无名氏作品，不但每一句都首尾相接，而且前半句与后半句互为回文，所以是句句回文，句句回环，值得欣赏。

山水 无名氏

处处飞花飞处处，潺潺碧水碧潺潺。

树中云接云中树，山外楼遮楼外山。

文章不容易成为严格的回文。但是《大学》和《中庸》的"宽式回文"还不少呢：

是故财聚则民散，财散则民聚。（《大学》第十章）

好人之所恶，恶人之所好。（《大学》第十章）

仁者以财发身，不仁者以身发财。（《大学》第十章）

在上位不陵下，在下位不援上。（《中庸》第十四章）

自诚明，谓之性；自明诚，谓之教。诚则明矣，明则诚矣。（《中庸》第二十一章）

讽刺

“节彼南山，维石岩岩。赫赫师尹，民具尔瞻。”

山，是高大的，庄重的。用山来形容一个人，通常都是好的。如“寿比南山”、“山高水长”、“仰之弥高”等等。本章引用《诗经》这四句话，前两句说山峰耸峙，再说“赫赫师尹，民具尔瞻”这不是把尹太师捧上天了吗？非也。

有一种写作技巧叫作“欲抑先扬”。也就是欲贬先褒，先高高举起，再重重落下，如此则反差加倍。

《诗经·小雅·节南山》原文第一段如下：“节彼南山，维石岩岩。赫赫师尹，民具尔瞻。忧心如惔，不敢戏谈。国既卒斩，何用不监！”

后四句的意思就是：“内心忧愁如火烧，不敢嬉戏谈笑。国家的太平已经不再，你为什么看不到！”所以整段看来，前四句是在讽刺，而不是在赞扬。这种写作技巧可称为“反讽”（“倒反”就是其中的一种）。张错说：凡是言外之意，口是心非，说出的话和心内相反，偏又让人知道弦外之音，就是反讽。（张错《西洋文学术语手册》第144页）

《大学》本章，并未指出尹太师的劣迹，却直接说出了“心里的话”：“有国者不可以不慎，辟，则为天下僇矣。”落差不可谓不大。

叠字

同一个字重叠出现，用来描写人物的声音或形象，叫“叠字”。《诗经》中叠字的使用很多。如本节的“维石岩岩”和“赫赫师尹”就是。本章第三节《秦誓》里的“断断兮”和“休休焉”也都是“叠字”。这样写，可以使写景、写情、拟声更加生动，加深感受。我们日常生活中，如“黑压压”、“白茫茫”、“红扑扑”都是，闽南语“吃人够够”、“脸臭臭”也是，而有关颜色的叠字如“青笋笋”、“黑码码”等就更多了。

转品

“上老老而民兴孝，上长长而民兴弟”，前一个“老”字当动词，义为“敬老”。下一个“老”字是名词，指老人。前一个“长”字当动词，后一个“长”字名词用。当动词用的“老”和当动词用的“长”都是由名词的“老”和“长”转移而来。“民之所好好之，民之所恶恶之”：第二个“好”和第二个“恶”是动词，分别由名词的“好”与名词的“恶”转化而来。这种变换词性的现象在修辞学上称为“转品”，这样使用的原因可能是因为古代词汇较为贫乏，所以借用一下。（参本书《大学》“经文”章第一节“转品”）

排比

“所谓平天下在治其国者，上老老而民兴孝，上长长而民兴弟，上恤孤而民不倍。”这是“排比”。（参本书《大学》“经文”章第一节）

象征

“絜矩之道”，是以具体可见的度量、画方工具，象征抽象的道德和伦理规范，这是运用“象征”的修辞方式。（参本书《大学》“经文”章第一节“象征”）

倒装

“尔瞻”就是“瞻尔”。这是为跟上句“岩”字押韵才作倒装。（参本书《大学》第十章第二节“倒装”）

10-2（以德为本）

《诗》云：“殷之未丧师，克配上帝。仪监于殷，峻命不易。”道得众则得国，失众则失国。

是故君子先慎乎德。有德此有人，有人此有土，有土此有财，有财此有用。德者，本也，财者，末也。外本内末，争民施夺。是故财聚则民散，财散则民聚。是故言悖而出者，亦悖而入；货悖而入者，亦悖而出。

《康诰》曰：“惟命不于常。”道善则得之，不善则失之矣。《楚书》曰：“楚国无以为宝，惟善以为宝。”舅犯曰：“亡人无以为宝，仁亲以为宝。”

【语译】

《诗经》上说：“殷朝还没有失去民众支持的时候，君王的德行，还够格配合上天的命令。所以我们应当以殷朝的兴亡为鉴戒，天命就不会改换，仍然在周。”这就是说，能获得民众的支持，就能拥有国家的政权；丧失民心，就会丧失国家的政权。

所以领导国家的人首先重视德行的修养。有德行，就能获得人民的拥护。有人民的拥护，就能保有国土。有土地，就会有财货。有财货，国家就有经费可以运用。德就是根本，财物只是细微末节。轻忽了根本，却又重视细微末节，与民争利，施行劫夺之政（这是错误的）。所以，人君如果聚敛钱财，人民就会分散于四方。如果散财于民，则人民就会聚集起来。所以，对别人说出不合情理的话，自己也会听到同样的话。以违反常理搜刮进来的财物，也会以不合常理的方式散出去。

《尚书·康诰》上说：“上天并不会永久地保佑某国某族。”这就是说：国君有德行就能得到天命，国君没有德行就会失去天命！《楚书》上说：“楚国没有可以称为宝物的，只有善人是楚国真正的宝。”舅犯说：“失位流亡的人没有什么珍贵的宝物，只有仁爱亲人才是宝。”

【详注】

《诗》云：“殷之未丧师，克配上帝。仪监于殷，峻命不易。”

《诗经》上说：“殷朝还没有失去民众支持的时候，君王的德行，还够格配合上天的命令。所以我们应当以殷朝的兴亡为鉴戒（当镜子），天命就不会改换，仍然在周。”

《诗》：引自《诗经·大雅·文王》。丧：失，丧失。师：众，指民众、民心。克：能够、胜任。配：配合。上帝：上天。朱注：配，对也。配上帝，言其为天下君，而对乎上帝也。仪监：今本《毛诗》作“宜鉴”。宜：应当。鉴：镜子，此作动词用，作鉴戒。峻命：大命，天命。指统治者所受天之大命，故代用以指一个王朝的政权。峻：大。今本《毛诗》作“骏”。易：容易。或理解为“改变”。不易：不容易。也可理解为“不会改变”。

道得众则得国，失众则失国。

这就是说：赢得民心，就会领有国家，失去民心，就会失去国家。

道：说。众：众人，群众。指民心。得：得到、获取。失：丢掉、丧失。

是故君子先慎乎德。

所以领导国家的人首先重视德行的修养。

君子：领导国家的人，即前面所说的“有国者”。先慎乎德：首先重视德行的修养。先：首要的。慎：重视。德：道德。指得于己者而言。先慎乎德，是承接上文“有国者不可以不慎”说的。

有德此有人，有人此有土，有土此有财，有财此有用。

有德行，就能获得人民的拥护；有人民的拥护，就能保有国土。有土地，就会有财货；有财货，国家就有经费可以运用。

此：斯、乃、则、就。“此”本是近指代词，引申成为连词，也能联系条件与结果。与“则”作用相同。相当于“这就”、“那么”。有人：指人民的归附。用：运用。

德者，本也，财者，末也。外本内末，争民施夺。

德就是根本，财物只是细微末节。轻忽了根本（的德性），却又重视细微末节（的财物）（这是错误的），与民争利，施行劫夺之政（这是错误的）。

本：根本。末：不重要、非根本的事物。（这里所说的“本末”，在本节才有特殊意义，与前面所说的“本末”不同。）外：疏远、轻视。内：亲近、重视。（这个“外”字，现在闽南语还有，“你把我看得外外的”就是“你瞧不起我”的意思。）争民：争利于民，与民争利。施夺：施行劫夺之政。这就是孟子所说的“上下交征利”。

是故财聚则民散，财散则民聚。

所以，人君如果聚敛钱财（于府库之内），人民就会分散于四方；如果散财于民，则人民就会聚集起来。

聚：聚敛、搜刮。散：分散。

是故言悖而出者，亦悖而入；货悖而入者，亦悖而出。

所以，对别人说出不合情理的话，自己也会听到同样的话。以违反常理搜刮进来的财物，也会以不合常理的方式散出去。

悖：违背，违反。即不合情理、违背正理。朱注：“悖，逆也。君有逆命，则民有逆辞也。”出：说出。入：进，由外面到里面。指听到。这里所讲的也是“絜矩之道”、将心比心、忠恕之道。

《康诰》曰：“惟命不于常。”

《尚书·康诰》上说：“上天并不会永久地保佑某国某族（而是以统治者的德行为转移）。”

《康诰》:《尚书》篇名。屈万里《尚书释义》以为是周武王灭殷以后，分封弟弟于康时的诰辞。原文为:“王曰:‘呜呼！肆汝小子封。惟命不于常，汝念哉！无我殄享，明乃服命，高乃听，用康乂民。’”诰：文体名，训诫或任命封赠的文告。惟：发语词。命：天命。于：同“於”。

道善则得之，不善则失之矣。

这就是说：国君有德行就能得到天命，国君没有德行就会失去天命!

道：言、说。

《楚书》曰:“楚国无以为宝，惟善以为宝。”

《楚书》上说:“楚国没有可以称为宝物的，只有善人是楚国真正的宝。”

《楚书》：楚国的史册，可能是楚昭王时的史书。宝：珍贵的东西。惟：仅、只有。惟善以为宝:“惟以善为宝”的倒装。

舅犯曰:“亡人无以为宝，仁亲以为宝。”

舅犯说:“失位流亡的人没有什么珍贵的宝物，只有仁爱亲人才是宝（以仁德为宝)。”

舅犯：春秋时晋文公的母舅，姓狐，名偃，字子犯，曾随公子重耳流亡在外，共患难十九年。重耳后来回国继位为文公，他辅佐改革内政，整顿军旅，文公能成就霸业，他贡献很大。亡人：失位流亡的人，指公子重耳。

【精解】

重耳的故事

原来重耳的父亲晋献公听信他的夫人骊姬的谗言，重耳因此逃难到外边。后来晋献公死了，重耳在那时流亡在翟，秦穆公叫子显到重耳那里去吊唁，同时劝重耳回到本国做人君去。“亡人”两句，是舅犯代重耳对答秦国的使人子显说的。仁亲，义为亲爱，仁道，意思就是以仁亲为宝贵，不因为父亲死了，一国无主，遂而急急于回去争权夺利。这一故事，见于《礼记·檀弓》。（陈槃《大学中庸今释》第48页）

【修辞】

倒装

刻意的颠倒

“惟善以为宝”是“惟以善为宝”的“倒装”。又“仁亲以为宝”，同样是“以仁亲为宝”的“倒装”。

倒装，就是一句话在文法规律上，应该这么顺着说，但在修辞上，为了某种需要，却那么倒着说。譬如徐志摩《我所知道的康桥》里有一句话：

“静极了，这朝来水溶溶的大道！”

按照文法，应该是：“这朝来水溶溶的大道，静极了！”但是作者为了修辞上的需要（强调静景之美），把形容词转变的述语

“静”，倒装在主语“大道”的前面，成为倒装的句子。（董季棠《修辞析论》第415页）

“倒装”的作用，可以加强语势，突出重点，协调音节，错综句法。

层递

“是故君子先慎乎德。有德此有人，有人此有土，有土此有财，有财此有用。德者，本也；财者，末也。”这是递减的倒层递。由本到末，由重到轻。重点在第一句的“德”。（参本书《大学》“经文”章第一节“层递”）

映衬

“是故财聚则民散，财散则民聚。是故言悖而出者，亦悖而入；货悖而入者，亦悖而出。”这是以聚散，出入作对衬，说明治国平天下，必须以德为本、以财为末的道理。本章第三节“好仁之所恶，恶人之所好”则是回文式的映衬。（参本书《大学》“经文”章第三节“映衬”）

联珠

“有德此有人，有人此有土，有土此有财，有财此有用。”句与句之间都用相同的词连在一起，环环相扣，这是“联珠”的修辞方式。（参本书《大学》“经文”章第二节“联珠”）

10-3（忠信为先）

《秦誓》曰：“若有一个臣，断断兮，无他技；其心休休焉，其如有容焉。人之有技，若己有之；人之彦圣，其心好之，不啻若自其口出。寔能容之，以能保我子孙黎民，尚亦有利哉！人之有技，媢嫉以恶之；人之彦圣，而违之俾不通；寔不能容，以不能保我子孙黎民，亦曰殆哉。”

唯仁人放流之，迸诸四夷，不与同中国，此谓“唯仁人为能爱人，能恶人”。

见贤而不能举，举而不能先，命也。见不善而不能退，退而不能远，过也。好人之所恶，恶人之所好，是谓拂人之性，菑必逮夫身。是故君子有大道，必忠信以得之，骄泰以失之。

【语译】

《秦誓》中说：“如果有一个臣子，忠诚专一，没有其他的过人才能，但他的心胸宽大，像是很有包容的雅量。别人有专门的本领，就如同他自己有一样。别人才德、学识出众，他会衷心喜爱他们。对他人的美言，简直就像是自己口中说出的一样。这种人，我还能包容他，因为他还能保护我的子孙和百姓，也还是有益的吧。（反之）如果别人有本领，就嫉妒而厌恶他们。别人才德、学识出众，反而要阻挠，使他不得通于君主。这种人实在是容他不得，因为他不能保护我的子孙和百姓，这样也是很危险的呀。”

只有让有仁德的人，来放逐这些人。把他们驱逐到四方未开化的地方去，不让他们同住在中国。这就是所谓“只有有仁德的人，能够喜欢人，憎恶人”。

看见贤能的人而不能荐举，荐举了又不能让他早一点出人头地，这是命运。但看见不好的人而不能罢退，罢退了又不能疏远他，便是自己的过失了。喜欢别人所憎恶的东西，憎恶别人所喜欢的东西，这就是所谓违逆人性，一定会有灾祸临身。所以领导国家的人，有一个根本的法则。一定要尽心做事、诚实不欺才能走这条大道，获得成功，若是行为骄纵、傲慢，则已偏离这条大道，必然招致失败。

【详注】

《秦誓》曰："若有一个臣，断断兮，无他技；

《尚书·秦誓》中说："如果有一个臣子，忠诚专一，没有其他的过人才能。

《秦誓》:《尚书·周书》中的一篇，秦穆公派兵袭郑，被晋襄公帅兵在殽（崤山）打败，为表示自责和告诫诸臣，就作《秦誓》，是秦留传下来最早的一篇文献。誓：古代告诫将士的言辞。若：如果、假如，表示假设。断断：忠诚专一的样子。他：别的、其他的。技：才艺，专门的本领。

其心休休焉，其如有容焉。

他的心胸宽大，像是很有包容的雅量。

其心：他的心。休休：宽容、气魄大。有容：有肚量能够容物。容：宽容。焉：表示状态，相当于"然"、"的样子"。其如：如同。其：发语词，无义。

人之有技，若己有之；

别人有专门的本领，就如同他自己有一样。

之：它，指才艺、本领。

人之彦圣，其心好之，不啻若自其口出。

别人才德、学识出众，他会衷心喜爱他们。对他人的美言，简直就像是自己口中说出的一样。

彦：才德出众的人。圣：旧称在学识或技艺上有很深造诣的人。好（hào）：喜爱。之：他、他们。不啻：无异于、如同。啻（chì）：但、只、仅。常用于疑问词或否定词之后。

实能容之，以能保我子孙黎民，尚亦有利哉！

这种人，我还能包容他，因为他还能保护我的子孙和百姓，也还是有益的吧！

以：因为、由于。黎民：百姓。民众。（黎，本来是西周以前相当大的古国，后来国亡了，种也灭了，然而“黎民”一词，却照旧流传民间，成为习用口语，作为百姓的代称。就如后代以“汉人”、“唐人”作为中华民族的代称一样。）黎：众，黑（因黑发得名）。一说，原来指九黎之民。尚亦有利：应该对国家有利。尚：庶几、差不多。

人之有技，媢嫉以恶之；

（反之）如果别人有本领，就嫉妒而厌恶他们。

媢（mào）疾：嫉妒。恶（wù）：憎恨、讨厌。

人之彦圣，而违之俾不通。

别人才德、学识出众，反而要阻挠，使他不得通于君主。

违：阻挠、阻隔。俾：使。通：到达、陈述、报告。

实不能容，以不能保我子孙黎民，亦曰殆哉！”

这种人实在是容他不得，因为他不能保护我的子孙和百姓，这样也是很危险的呀！

亦曰殆哉：也就危险了。曰：助词，无义。殆：危险。

唯仁人放流之，迸诸四夷，不与同中国，

只有让有仁德的人，来放逐这些人。把他们驱逐到四方未开化的地方去，不让他们同住在中国。

唯：独、只有。仁人：有仁德的人。放流：即“流放”，将罪犯放逐到偏远处。迸：通“摒”（bǐng），驱逐、弃置。四夷：东夷、西戎、南蛮、北狄的总称。指边疆文化落后民族的地区。中国：指夏族、汉族地区。

此谓“唯仁人为能爱人，能恶人”。

这就是所谓“只有有仁德的人，能够喜欢人，憎恶人”。

仁人因为公正无偏私，才能立场超然，明辨善恶，把妒贤害国的人赶走。

见贤而不能举，举而不能先，命也。

看见贤能的人而不能荐举，荐举了又不能让他早一点出人头地，这是命运。

举：举荐。先：为在自己之前。

见不善而不能退，退而不能远，过也。

但看见不好的人而不能罢退，罢退了又不能疏远他，便是自己的过失了。

退：摈斥、罢退。远（yuàn）：摒逐到远方，指流放到四夷去。过：过失。

好人之所恶，恶人之所好，是谓拂人之性，菑必逮夫身。

喜欢别人所憎恶的东西，憎恶别人所喜欢的东西。这就是所谓违逆人性，一定会有灾祸临身。

拂：违反、违逆。菑：通“灾”。逮：到。此句即是说，必有灾祸临头。夫（fú）：助词。

是故君子有大道，必忠信以得之，骄泰以失之。

所以领导国家的人，有一个根本的法则。一定要尽心做事、诚实不欺才能走这条大道，获得成功，若是行为骄纵、傲慢，则已偏离这条大道，必然招致失败。

君子：领导国家的人，即前面所说的“有国者”。有：表事实、状况的正面存在，与“无”相对。大道：根本的法则。忠：忠诚、尽心做事。信：诚实不欺。得：成功、获得。之：指大道。骄：骄傲。泰：傲慢。

【精解】

“先”抄错？“命”读错？

“举而不能先”俞樾以为“先”本应作“近”，但因篆字字形相似而传抄错误。因为下文又有“退而不能远”一语与此相对，所以应作“近”。依此则“举而不能先”的意思是：“荐举而不能使人君亲近他”。

“举而不能先，命也”的“命”，郑玄注以为应当作“慢”（因为声音相同的错误），程子以为当作“怠”字，朱熹对这两种说法也没有决定。但合起来就是“怠慢”。如果不是“命运”，意思就是“举荐以后而不能优先重用，那就是怠慢”。

《四书考异》引陆佃说：命字并没有错，孟子说过“莫非命也”，不能举贤，不能使贤位在自己之先，虽然是一种过失，但从天观之则不能不说是命运。

【修辞】

引用中的引用

《秦誓》本身就是引用，它里面又引用《论语》的话，这是“引用中的引用”。但因为没有明白标出是孔子的话，文字也略有差异，所以是“暗引”。《论语·里仁》的原文是：子曰：“唯仁者能好人，能恶人”。（参本书《大学》第一章“引用”）

叠字

“断断兮”、“休休焉”也是叠字。（参本章第一节“叠字”）

联珠

“见贤而不能举，举而不能先，命也。见不善而不能退，退而不能远，过也。”“举”字和“退”字的出现是“联珠”。（参本书《大学》“经文”章第二节“联珠”）

倒装

“必忠信以得之，骄泰以失之。”这是“必以忠信得之，以骄泰失之。”的“倒装”。(参本书《大学》第十章第二节“倒装”)

省略

“骄泰”前面则省略了一个“必”字。(参本书《大学》第八章“省略”)

10-4（以义为利）

生财有大道，生之者众，食之者寡，为之者疾，用之者舒，则财恒足矣。仁者以财发身，不仁者以身发财。未有上好仁而下不好义者也，未有好义其事不终者也，未有府库财非其财者也。

孟献子曰:“畜马乘，不察于鸡豚；伐冰之家，不畜牛羊；百乘之家，不畜聚敛之臣。与其有聚敛之臣，宁有盗臣。”此谓国不以利为利，以义为利也。长国家而务财用者，必自小人矣。彼为善之，小人之使为国家，菑害并至。虽有善者，亦无如之何矣。此谓国不以利为利，以义为利也。

【语译】

增加财富有一个基本法则，就是:生产的人多，消耗的人少；制作的人迅速，使用的人迟缓；财富就常常觉得充裕了。有仁德的人把财物散发出去，以求利人，提高自身修养，赢得民心。没有仁德的人，不顾品德、修养，甚至牺牲了生命和名誉，只是为了增加财富。不会有在上位的人喜欢仁德，而在下面的人做事不合宜、胡作非为、不讲道理的情形。也不会有做事合宜、讲道理，而事情不能完成的情形。也不会有国家财库中的财物，不是国君应得的，或以不合理方式流出的情形。

孟献子说："刚刚开始担任大夫官职的人，就不该再用心于计较养鸡、养猪的小利。丧祭礼能够用冰的卿大夫，就不应该再畜养牛、羊。有封地采邑，拥有百辆兵车的公卿，不应该任用专事搜刮财富的臣子。与其任用专事搜刮财货的家臣，宁可有盗窃府库财物的家臣。"

孟献子的意思是，国家不应当将货财当作真正的利益所在，而要把合于正道当作为利益所在。治理国家的人，如果把重点放在聚敛财货以充实国库，必定是由下面的那些小人开始发动，因为那正是小人最擅长的事。让小人来处理国家大事，各种天灾人祸一定会一起来到。这时即使有擅长治理国家的贤人，也没办法挽救了。这就是"国家不应当将货财当作真正的利益所在，而要把合于正道当作为利益所在"的意思。

【详注】

生财有大道：

增加财富有一个基本法则，就是：

生财：增加财富。大道：宽阔的道路，指正道、常理、基本法则。

生之者众，食之者寡，为之者疾，用之者舒，则财恒足矣。

生产的人多，消耗的人少，制作的人迅速，使用的人迟缓，财富就常常觉得充裕了。

生：生产。众：多。食：消耗。寡：少。为：造作、制作。疾：快速、勤快。用：使用。舒：迟缓。恒足：常常充足。恒：长久。（朱注：吕氏曰："国无游民，则生者众矣；朝无幸位，则食者寡矣；不夺农时，则为之疾矣；量入为出，则用之舒矣。"）

仁者以财发身，不仁者以身发财。

有仁德的人把财物散发出去，以求利人，提高自身修养，赢得民心。没有仁德的人，不顾品德、修养，甚至牺牲了生命和名誉，只是为了增加财富。

仁者：有仁德的人，指慈爱民众的人君。发：发起、发达，引申为提高。身：品格、修养。指"修身"的"身"。以身发财：牺牲自身修养（现代人则要钱不要命），以求增加自己的财富。（朱注："发，犹起也。仁者散财以得民，不仁者亡身以殖货。"）

未有上好仁，而下不好义者也；

不会有在上位的人喜欢仁德，而在下面的人做事不合宜、胡作非为、不讲道理的情形。

上：指国君。好仁：爱好仁德，爱护人民。下：指民众。义：正道、行事得宜。

未有好义，其事不终者也；

也不会有做事合宜、讲道理，而事情不能完成的情形。

终：终了、结束。

未有府库财，非其财者也。

也不会有国家财库中的财物，不是国君应得的（聚敛而来），或以不合理方式流出（被家臣盗用）的情形。

府库：古代国家储藏财物或文书的处所。府：官家的房屋。库：仓库。财、非其财：即都是正当得来，而非聚敛而来，也不会被家臣盗用。（朱注："上好仁以爱其下，则下好义以忠其上；所以事必有终，而府库之财无悖出之患也。"）

孟献子曰："畜马乘，不察于鸡豚；

孟献子说："刚刚开始担任大夫官职的人，就不该再用心于计较养鸡、养猪的小利。

孟献子：鲁国贤大夫仲孙蔑，献子是谥号。卒于鲁襄公十九（公元前五五四）年。《孟子·万章下》："孟献子，百乘之家也。"畜马乘（shèng）：古时一车四马为一乘。古礼，士为大夫后方能驾四马，所以畜养了马匹，有车子可乘坐的人，就是"做大夫的人"。畜：养也。此处作具备解。不察于鸡豚：不会去计较养猪养鸡的事，即不与平民争利。察：关注，引申为计较。

伐冰之家，不畜牛羊；

丧祭礼能够用冰的卿大夫，就不应该再畜养牛、羊。

伐冰之家：指丧祭时能用冰保存遗体的人家。这是卿大夫之家的待遇。伐：击，这里指"凿冰"。不畜牛羊：自家不养牛羊，指不去与平民争利。

百乘之家，不畜聚敛之臣。

有封地采邑，拥有百辆兵车的公卿，不应该任用专事搜刮财富的臣子。

百乘之家：拥有一百辆兵车的人家，指有封地的卿大夫。乘：一乘有一车四马。（朱注："有采地者也。"采地，卿大夫所封食邑也。所谓采者，不得有其土地人民，采取其租税耳。）畜：养。聚敛之臣：指搜刮民间财货的家臣（古代卿大夫家的属吏）。

与其有聚敛之臣，宁有盗臣。"

与其任用专事为自己搜刮财货的家臣，宁可有盗窃府库财物的家臣。

盗臣：谓盗窃府库财物的官吏。郑玄注：国家利义不利财。盗臣损财耳，聚敛之臣乃损义。《新唐书·食货志》："盗臣诚可恶，然一人之害耳，聚敛之臣用，则经常之法坏，而天下不胜其弊矣。"

此谓国不以利为利，以义为利也。

孟献子的意思是，国家不应当将货财当作真正的利益所在，而要把合于正道当作为利益所在。

长国家而务财用者，必自小人矣。

治理国家的人，如果把重点放在聚敛财货以充实国库，必定是由下面的那些小人开始发动。

长国家：作国家的首长，治理国家，掌管国政。长（zhǎng）：治理。务财用：把重点放在聚敛财货。务：致力、从事。财用：国库的财源。自：从、由。

彼为善之。

因为那正是小人最擅长的事。

彼：指小人。善：擅长。之：指聚敛之事。（朱注："此句上下，疑有阙文误字。”）

小人之使为国家，菑害并至；

放任小人来处理国家大事，各种天灾人祸一定会一起来到。

使：放任。菑害：天灾人祸造成的损失。菑：即“灾”。

虽有善者，亦无如之何矣。

这时即使有擅长治理国家的贤人，也没办法挽救了。

善者：擅长（治国）的贤能人士。无如之何：无可奈何、没有办法。

此谓国不以利为利，以义为利也。

这就是“国家不应当将货财当作真正的利益所在，而要把合于正道当作为利益所在”的意思。

义：宜，思想行为符合道德理想。以利为利：把功利当作利益。（朱注：此一节，深明以利为利之害，而重言以结之，其丁宁之意切矣。）

【精解】

孟献子

孟献子（？—公元前五五四年），姬姓，鲁国卿。鲁国有三大家族（孟孙氏、叔孙氏、季孙氏），他是孟孙氏第五代宗主，名蔑，世称仲孙蔑，谥号献。他是一个生活很简朴的人，是鲁国孟氏家族振兴的重要贡献者，也是春秋中期鲁国外交家，政治家。另有一说，孟孙蔑的“孙”为尊称，“孟孙”并不是氏称，故孟孙蔑为孟氏，而非孟孙氏。

孟子：义利之辨

孟子见梁惠王。王曰："叟，不远千里而来，亦将有以利吾国乎？"孟子对曰："王何必曰利？亦有仁义而已矣。王曰：'何以利吾国？'大夫曰：'何以利吾家？'士庶人曰：'何以利吾身？'上下交征利，而国危矣！万乘之国，弑其君者，必千乘之家；千乘之国，弑其君者，必百乘之家。万取千焉，千取百焉，不为不多矣；苟为后义而先利，不夺不餍。未有仁而遗其亲者也，未有义而后其君者也。王亦曰：仁义而已矣，何必曰利？"（《孟子·梁惠王上》）

【修辞】

倒反

"与其有聚敛之臣，宁有盗臣。"这是自律严谨，生活节俭的孟献子的名言。为什么聚敛之臣比盗臣可怕？依据郑玄的说法，聚敛而来的是不义之财，会使国家的存在失去正当性，而盗臣造成的不过是钱财的损失，所以"损义"比"损财"严重。那么，孟献子当真是"两害相权取其轻"，因而愿意容忍盗臣了吗？显然不是，这不过是一句夸饰性的反话罢了。他真正的意思是：两者都不能接受。

孟献子的这种表达方式，通常被称为"倒反"。

王占福说：说写者用相反的词句表现本意和真情，这种修辞方式叫作"倒反"。运用倒反可使语言活泼、幽默、风趣，而且能蕴含深邃的思想或激越的情感。（王占福《古代汉语修辞学》第250页）由于《大学》与《中庸》并非文学作品，所以这种“倒反”，特别少见。

类叠

本节“之者”重复使用五次，“未有”重复使用三次，都是所谓“类叠”。（参《大学》第七章“类叠”）

映衬

本节对比现象涌现：众对寡、疾对舒、上对下、仁对不仁、以财发身对以身发财，都是对比，也是一种“映衬”的修辞技巧。（参《大学》“经文”章第二节“映衬”）

【会通】

周代宗法制度

宗法制度是中国古代维护贵族世袭统治的一种制度。由父系家长制演变而成，到周代逐渐完备。周王自称天子，王位由嫡长子继承，称天下的大宗，是同姓贵族的最高家长，也是政治上的共主，掌握国家的军权和政权。天子的庶子有的分封为诸侯，对天子为小宗，在本国为大宗，其职位亦由长子继承，并以国为氏。诸侯的庶子有的分封为卿大夫，对诸侯为小宗，在本家为大宗，其职位亦由嫡长子继承，以官职、邑名、辈分等为氏。从卿大夫到士，其大宗与小宗的关系与上同。世袭的嫡长子，称为宗子，掌握本族财产，负责本族祭祀，管理本族成员，同时代表贵族统治人民。历代王朝长期利用这种制度，以巩固政权、族权、神权、夫权。

西周官制

在西周宗法分封制度下，形成了天子，王室卿大夫、诸侯，诸侯国卿大夫三个等级层次。随着统治结构的不断完善，等级分化也日趋细密。同一等级内一般又分为三个等级。卿级和大夫级的官吏各有上、中、下之分。

不同等级的官吏享有不同的政治、经济利益。西周以封地作为官吏的俸禄。封土与官职相应有等差，在朝聘、祭礼、丧葬，服饰、车马、宫室等方面都有不同的等级规定。

西周的等级制，是在以宗法血缘关系分别亲疏贵贱的基础上，进行财产、权力的分配和再分配而形成的，并与世官制相始终，因此它具有两个显著特征。第一，职官等级与宗法等级相一致。周天子作为天下之大宗，理所当然成为天下之君，诸侯、王室卿大夫相对于天子而言，是为小宗而宗于天子，因此诸侯、王室卿大夫成为第二等级的官吏。诸侯相对封国之内的卿大夫而言，又成为大宗而使卿大夫宗之，因此封国的卿大夫便成为第三等级官吏。第二，在等级序列中，具有严格的递相为君臣的等级关系。即每一个上级贵族，就是下级贵族的君，每一个下级贵族就是上级贵族的臣。诸侯对周王来说是臣，对自己封国内的卿大夫而言，又是君。天子不能直辖诸侯的臣子，诸侯也无权直辖卿大夫的家臣。

春秋末年至战国，职官等级与宗法等级逐渐分离，各级官吏也均由国君直接任命。在俸禄制度方面，各国不再以“授土授民”作为官禄，而是普遍采用粮食作为官吏的俸禄。（参孔令纪等编《中国历代官制》第34页）

玫琳凯的金科玉律

美商玫琳凯公司，是一家国际性的化妆品公司。该公司的创办人玫琳凯（Mary Kay）可能是全世界最成功的女性企业家。她原来只是一个带着三个小孩的单亲妈妈，全部存款只有五千美元。一九九五年，她出书说出自己的成功秘诀。其中第一章就是介绍自己生活的金科玉律：“待人如己”。当她遇到人际问题时，她总是问自己：“如果我是这个人，我会希望如何被人对待？”

她也说：“当你与别人来往时，你的眼神中不可以出现金钱的记号。如果你想着，‘这次我可以赚多少钱？’顾客会看透你的心。你的属下、顾客和客户会感受到你对他们的关心是否真诚。不真诚会创造出敌意关系——‘我们’相对于‘他们’的思考方式。如果属下与管理者之间，或顾客与推销员之间，画出了一道鸿沟，人们会筑起防御工事。在敌意的环境中，任何事业都很难成长。”（Mary Kay《你可以全部拥有》第4页）

第三部门

古人论及财货，很难脱离官民二元色彩。现代社会则在第一部门（公部门）和第二部门（私部门）之外，还有所谓“第三部门”兴起。一般来说第三部门单位大都是由政府编列预算、私人企业出资或民间集资，独立维持经营的事业体。常见的社团法人、财团法人、基金会、非政府组织（NGO）或非营利组织（NPO），通常都属于第三部门的范畴。虽然它们的背景与营运方式各有不同，但基本上都是以非营利为目的的公益团体。过去的很多大富豪都将大部分个人创造的财富捐出，成立基金会，以造福人群，因而流芳百世。著名的如洛克菲勒基金会、福特基金会等都有很好的表现。当代富豪巴菲特倡议“裸捐”，他自己将五百八十亿美元的个人资产全部捐给自己和妻子名下的基金会，创造了“裸捐”之最。目前已经有全球各地的富豪响应，其中包括长荣的张荣发。这是财富运用的正道。

朱熹对传十章的结论

凡传十章：前四章统论纲领旨趣，后六章细论条目功夫。其第五章乃明善之要，第六章乃诚身之本，在初学尤为当务之急，读者不可以其近而忽之也。

中　庸

君子之中庸也，君子而时中。

博学之，审问之，慎思之，明辨之，笃行之。

式而言，反复使用“之谓”，又是“类叠”中的“类字”。全句运用“排比”、“层递”、“类叠”三种辞格。（蔡宗阳《应用修辞学》第9页。另参《大学》“经文”章第一节“排比兼层递”）

【会通】

人性的深层结构

天，一指天帝，是人们想象中的万事万物的主宰者。一指天然，如天工、天灾。另外也指客观的自然。

心理学家认为，人类的行为是先天基因和后天环境、教育交互作用产生的结果。人性是长期演化出来的。

语言学家杭士基认为语言能力是与生俱来的本能，例如，儿童可以说出他们以前没学过的话，这是因为人类语言的潜能或深层结构，这种结构有其普遍性意义。经由声音表达（说）出来，它就是语言的外在结构。朱熹所说的“性”，“性即理也”，就是一种类似的“深层结构”，本性表达在外，有当行之路就是“道”，所谓正道，指仁、义、礼、智、信“五常”，就是外显的“外在结构”。

只要顺着天性发展，就是“道”，其中隐含“人性本善”的前提。所以有人说“中庸”是思孟学派发展出来的。

1–2（君子慎独）

道也者，不可须臾离也，可离非道也。是故君子戒慎乎其所不睹，恐惧乎其所不闻。莫见乎隐，莫显乎微，故君子慎其独也。

【语译】

道这种东西，不可以片刻分离，可以分离的道就不是正道了。所以，有德的人常存敬畏之心，对于他所没有亲见的事物，警惕而谨慎。对于没有亲耳听到的，唯恐听闻不正确。对他人而言，最隐秘的事物，自己却看得清楚，对他人而言最细微的事物，自己却看得分明。所以君子非常重视“慎独”的精神修养。

【详注】

道也者，不可须臾离也，可离非道也。

道这种东西，不可以片刻分离，可以脱离的道就不是正道了。

道：如果道是指物象背后的原理，则普遍存在，不可能脱离。也者：语气助词，这里作为提示。不可：表示不可能的意思。须臾：片刻。离：分开、分解。（朱熹说：“离，去声。”如读为lì，则通“丽”，依附之意。故仍应读平声lí。）也：句末语助词，表示判断或肯定。朱注：“道者，日用事物当行之理，皆性之德而具于心，无物不有，无时不然，所以不可须臾离也。若其可离，则为外物而非道矣。是以君子之心常存敬畏，虽不见闻，亦不敢忽，所以存天理之本然，而不使离于须臾之顷也。”

是故君子戒慎乎其所不睹，恐惧乎其所不闻。

所以，有德的人常存敬畏之心，对于他所没有亲见的事物，警惕而谨慎（小心对待和判断）。对于没有亲耳听到的，唯恐听闻不正确（小心对待和判断）。

是故：所以、因此。为承上启下之词。君子：西周、春秋时对贵族的通称。春秋末年后“君子”与“小人”逐渐成为“有才德者”与“无才德者”的称谓。如：正人君子、以小人之心度君子之腹。《礼记·曲礼》：“博闻强识而让，敦善行而不怠，谓之君子。”杜维明《中庸洞见》说：“君子总是努力在人的日常存在中体现生命的终极意义。”戒慎：警惕而谨慎。戒：警戒、防备，通“慎”。引申为“警惕”。慎：小心谨慎、慎重。乎：介词，相当于“于”。其：代词，即“他”。不睹：见不到、没见到。不：否定词。有不是、未、非等义。睹：看见。恐惧：害怕。非礼勿听。闻：听到。杜维明说：“‘君子戒慎乎其所不睹，恐惧乎其所不闻’，就是有意识地力求察知到他内在自我表露的精细微妙的表征，从而能充分实现其本性中所固有的人道。”

莫见乎隐，莫显乎微，

（由于戒慎恐惧的内省工夫）对他人而言，最隐秘的事物，自己却看得清楚，对他人而言最细微的事物，自己却看得分明。

见（xiàn）：同“现”，显现。乎：介词，相当于“于”，在这里有比较的意味。隐：潜藏，掩盖。显：明显、显出。微：细小、昏暗不明。傅佩荣说：“隐蔽与细微之事，可能逐渐发展为清楚与明白之事。一个人的言行表现，莫不是由最初的隐微意念所演变及展示出来的。”内心世界，总有一些蛛丝马迹，有行为语言显露，可供察言观色。孔子说："视其所以，观其所由，察其所安，人焉廋哉，人焉廋哉。"孟子曰："存乎人者，莫良于眸子；眸子不能掩其恶。胸中正，则眸子瞭（了）焉；胸中不正，则眸子眊焉，听其言也，观其眸子，人焉廋哉！"

故君子慎其独也。

所以君子非常重视"慎独"的精神修养。

故：因此、所以。君子：才德出众的人、在位者或君王。慎其独：闲居独处时，行为仍然谨慎不苟且。慎：小心、重视。其：他的、他们的。独：单独、一个人。朱注："独者，人所不知而己所独知之地也。言幽暗之中，细微之事，迹虽未形而几则已动，人虽不知而己独知之，则是天下之事无有着见明显而过于此者。是以君子既常戒惧，而于此尤加谨焉，所以遏人欲于将萌，而不使其滋长于隐微之中，以至离道之远也。"（几：同机，事物出现前或变化前的细微迹象。遏：抑止。萌：开始、发生。）

【精解】

慎独：面对真理与自己

所谓"眼见为凭"，有时眼睛还会被错觉蒙蔽，何况是传闻或不一定可靠的报道。换一个角度来说，人在独处的时候，别人看不见，听不到你的心声，但还是要面对自己的良知。再进一步，不睹不闻，可以解释成"非礼勿视、非礼勿听"的不睹不闻。无论如何，慎独的人，只是注重独处时的自我修炼，并非追求孤独。

古人说，“天知地知你知我知”，又说，“举头三尺有神明”。人面对的是道，是真理，是自己，而非别人的见与不见，闻与不闻。《中庸》在第一章提出“慎独”，最后一章再谈“不愧于屋漏”，实有深意。

1–3（致中和）

喜怒哀乐之未发，谓之中；发而皆中节，谓之和。中也者，天下之大本也；和也者，天下之达道也。致中和，天地位焉，万物育焉。

【语译】

喜怒哀乐等情绪还没有波动时的心理状态或境界，称为“中”。情绪表现出来而又符合礼乐制度和习俗，叫作“和”。所谓“中”的境界，就是宇宙事物道理的本源。所谓“和”的境界，是古今共同通行的正路。如果人人都达到“中和”的境界，就如同天地有秩序地各安其位，万物也繁衍不已，生生不息。

【详注】

喜怒哀乐之未发，谓之中；

喜怒哀乐等情绪还没有波动（表现出来）时（超脱于情绪干

扰时）的心理状态或境界，称为“中”。

喜怒哀乐：人类最常见的四种情绪。未：没有。发：现露。中：不偏不倚，恰到好处。朱熹说：“喜怒哀乐，情也。其未发，则性也，无所偏倚，故谓之中。”

杜维明说：“‘中’意指每个人所固有的最精微的绝对不可化除的品质。”又说：“所谓‘中’就是一个人绝对不受外在力量骚扰的心灵状态。……与其说是一个后天达到的理想，不如说是一个先天赋予的真实存在。”（《中庸洞见》）

发而皆中节，谓之和。

情绪表现出来而又符合礼乐制度和习俗，叫作“和”。

而：连词，表示递进，相当于“而且”、“并且”。中节：音乐合于节拍。比喻为适中节度。即合乎礼义法度，恰如其分。中（zhòng）：切中、符合。节：法度、分寸。和：和谐。朱熹说：“发皆中节，情之正也，无所乖戾，故谓之和。”

中也者，天下之大本也；

所谓“中”的境界，就是宇宙事物道理的本源。

天下：古代多指中国范围内的全部土地、统治权。大本：事物最主要的基础。本：事物的根源或根基。朱熹说：“大本者，天命之性。天下之理皆由此出，道之体也。”又说：“性即理也。”因此，作为天下之大本的，是指使物存在的天理。

和也者，天下之达道也。

所谓“和”的境界，是古今共同通行的正路。

和：适中、恰到好处、刚柔并济的常道。达道：人类遵行、永不变易的道理。

朱注："达道者，循性之谓。天下古今之所共由，道之用也。"与上段配起来看，朱子是以"中"为"体"，以"和"为"用"；又以"中"配上文之"天命"，以"和"配上文之"率性"。"达道"即是"共同之道"或"普遍之道"；"和"是"发而皆中节"，即处处如理。这是取根本的原则，亦即是最普遍的形式法则，所以说是"达道"。

致中和，天地位焉，万物育焉。

如果人人都达到"中和"的境界，就如同天地有秩序地各安其位，万物也繁衍不已，生生不息。

致：通"至"，达到、推极。中和：儒家以中正平和为中庸之道的精神修养。后也泛指平衡稳定、不受干扰的状态。天地：天空与地表。位：安排、方位。这里作"定位"解。焉：语气词，置于句末，表示肯定。相当于"也"、"矣"。育：生养、成长。

【会通】

钱穆：何谓中庸？

何谓"中庸"？"中"字易知，"庸"字难解，但绝非安于庸俗之谓。《中庸》言："喜怒哀乐未发谓之中，发而皆中节谓之和。致中和，天地位焉，万物育焉。"方其未发，有此喜怒哀乐之情，无此喜怒哀乐之别，则"中"亦一"和"。及其发而中节，则仍亦一"和"。是则"中和"二字，更重在"和"。"和"之一字，可以尽中庸之德矣。故曰“中者，天下之大本；和者，天下之达道”。惟贵本于中以求和，故大群之和乃皆本于小己之中。即天地位，万物育，亦位育于此“中”。庄子所谓“得其环中，以应无穷”，是矣。《中庸》又言：“君子和而不流，强哉矫！中立而不倚，强哉矫！”则《中庸》非不言强，惟贵其中和，无过不及，不走极端，不趋分裂。又曰：“衣锦尚絅”。君子之道，闇然而日章。君子之道，淡而不厌，简而文，温而理，知远之近，知风之自，知微之显，可与入德矣。是中庸之道亦非不主表现，但求表现于闇微淡简中。此皆“中庸”之要旨。（钱穆《晚学盲言》）

朱注：

右第一章。子思述所传之意以立言。首明道之本原出于天而不可易，其实体备于己而不可离，次言存养省察之要，终言圣神功化之极。盖欲学者于此反求诸身而自得之，以去夫外诱之私，而充其本然之善，杨氏所谓一篇之体要是也。其下十章，盖子思引夫子之言，以终此章之义。（附注：杨氏，名时，字中立，先后授业于二程子。著有《中庸解》。）

第二章　君子小人

仲尼曰："君子中庸，小人反中庸。君子之中庸也，君子而时中；小人之反中庸也，小人而无忌惮也。"

【语译】

仲尼说："君子实行中庸之道，小人违背中庸之道。君子对中庸的实践，是随时以君子的态度，做到持中；小人对中庸的反对，在于有小人之心，而又没有顾忌和害怕，一有机会就做坏事。"

【详注】

仲尼曰："君子中庸，小人反中庸，

孔子说："君子实行中庸之道，言论和行动都能遵循中庸的准则；小人违背中庸之道，言论和行为都违反中庸的准则。

仲尼：孔子名丘，字仲尼。曰：说。用于文言文。中庸：不偏不倚的正道或常道。无过无不及，恰到好处。《辞海》：儒家伦理思想，中有中正、中和、不偏不倚等义；庸有平常、常道、用等义。小人：无德智修养、人格卑劣的人。反：违反、违背。

君子之中庸也，君子而时中；

君子对中庸的实践，是随时以君子的态度，做到持中。

时中：于时得中，即在适当时机做正确的判断。合乎时宜而无过与不及。中庸不是一套固定的行为规范，而只提供原理原则，随机判断应用，是动态的。朱注："君子之所以为中庸者，以其有君子之德，而又能随时以处中也。"

小人之反中庸也，小人而无忌惮也。"

小人对中庸的反对，在于有小人之心，而又没有顾忌和害怕，一有机会就做坏事。"

小人之反中庸也：原文作"小人之中庸也"，但依上文"小人反中庸"之意，在此仍作"反中庸"为宜。忌惮：有所顾忌害怕而不敢妄为。忌：怕、畏惧。惮：怕、畏惧。朱注："小人之所以反中庸者，以其有小人之心，而又无所忌惮也。盖中无定体，随时而在，是乃平常之理也。君子知其在我，故能戒谨不睹、恐惧不闻，而无时不中。小人不知有此，则肆欲妄行，而无所忌惮矣。"

【精解】

孔子

孔子（公元前五五一—前四七九年）名丘，字仲尼，春秋鲁人。生有圣德，学无常师，相传曾问礼于老聃，学乐于苌弘，学琴于师襄。初仕鲁，为司寇，摄行相事，鲁国大治。后周游列国十三年，不见用，年六十八，返鲁，晚年致力整理古代经典。有弟子三千，身通六艺者七十二人，开平民教育先河，后世尊为“至圣先师”。亦称为“孔子”。

【修辞】

映衬：君子与小人

在《大学》和《中庸》中，有一个跨篇章、到处出现或潜藏的主题式对比，那就是“君子”和“小人”。这是运用“映衬”以达最佳的修辞效果。“君子”本是西周、春秋时对贵族的通称。春秋末年后“君子”与“小人”逐渐成为“有德者”与“无德者”的称谓。《大学》大部分篇章都有“君子”一词的出现（而君子的反面就是小人）。而两者对举的则有：

“君子贤其贤而亲其亲，小人乐其乐而利其利。”（《大学》第二章）

“小人闲居为不善，无所不至；见君子而后厌然揜其不善，而著其善。”（《大学》第六章）

“仲尼曰：‘君子中庸，小人反中庸。君子之中庸也，君子而时中；小人之反中庸也，小人而无忌惮也。’”（《中庸》第二章）

“故君子居易以俟命，小人行险以徼幸。”（《中庸》第十四章）

“故君子之道，闇然而日章；小人之道，的然而日亡。”（《中庸》第三十三章）

如果说，《大学》、《中庸》讲的就是君子之道，也不为过。（参本书（《大学》“经文”章第三节“映衬”）

【会通】

反中庸的苦果

长期以来，某些人错误地理解或存心歪曲“中庸”的含义，说不偏就是搞折中调和，走中间路线，不易就是坚持机械的、静止的形而上学，反对变革。

大半个世纪以来，中国人遍尝和深受反“中庸”的苦果和恶果，情绪化的东西往往占上风。政治上的东倒西歪，思想上的偏激和混乱，经济上的反复折腾，对国家的现代化事业，对社会的稳定，对人民生活的安定和改善都有所延误，损失难以估量和挽救。人们缺乏中庸思想，与无知相比，离真理更远。

前事不忘，后事之师。必须时时、处处、事事采取客观、平实、公正、宽容和理性的态度，正确对待孔子关于中庸思想的教导，始终记取孔子的箴言：“中庸这种道德标准，该是最高的了！老百姓缺少这种道德观念为时很久了！”（蒋沛昌《论语今释》）

适度与灵活

“中庸”有两层意思：第一，肯定事物的变化超过一定的限度就要转向反面；第二，要求恪守这个限度，以免转向反面。这第一层意思显然是合理的、正确的。第二层意思在许多情况下也是合理的，因为无论在自然界或人类社会历史里，在事物的发展过程中，在一定条件下，必须保持平衡，才能避免走向反面，才能维持事物的存在和发展；而在另外的条件下则必须打破平衡才能发展，在这种情况下，坚持“中庸”就难以进步了。这就是说，在一般情况下，在事物相对稳定发展的情况下，“中庸”的原则有利于事物的平衡发展，而在事物发展的剧烈变革时期，“中庸”的原则就会阻碍事物的发展。“中庸”的方法意味着在事物或情况的复杂序列中，在两极之间的过渡带中寻找一个适当的标准，这是合理的，这里有一个掌握适当的分寸或程度的问题，因而有相当的普遍意义。

孔子既讲“中庸”，又讲“毋固”。《论语·子罕》篇中说孔子主张“毋意，毋必，毋固，毋我”，即反对主观妄测，反对绝对肯定，反对固执不化，反对自以为是。“中庸”要求遵守一定的标准，“毋必，毋固”则反对不顾一切地拘守某一固定标准。这一方面肯定了适度的原则，另一方面也肯定了一定的灵活性。(引自张岱年主编《中华的智慧》)

第三章　终极理论

子曰："中庸其至矣乎！民鲜能久矣！"

【语译】

孔子说："中庸应该是最高的道德标准了！长久以来，很少有人能达到这个标准了。"

【详注】

子曰："中庸其至矣乎！

孔子说："中庸应该是最高的道德标准了。

子：对男子的美称，多指有学问、道德或地位的人。在此专指孔子。其：副词，大概、该是。至：极。矣乎：用于感叹句末，表示赞叹的感情。

民鲜能久矣！"

长久以来，很少有人能达到这个标准了。"

民：人、百姓。鲜（xiǎn）：少。能：胜任、能做到。朱注："过则

头的情况发生。当时还没有卫星导航系统，所以“再回头已是百年身”，反而迟到，这就是“欲速则不达”的后果。

学生平日不烧香，临时抱佛脚。考前最后一夜开夜车，如果开过头，也是后果不堪设想。我个人就发生过代表学校参加作文比赛，结果却在考场睡着的糗事。

练功的人，怕走火入魔。运动员求好心切，难免运动伤害。林书豪在篮球场突然掀起旋风，教练超乎寻常地大加重用，结果伤了膝盖，无法继续参加比赛。当年红叶少棒掀起棒球旋风以后，很多天才型的青少年棒球明星，都因运动伤害而成了流星。

饮酒也是一个好例子。所有的研究都支持“适度饮酒，有益健康”，特别是红酒。但是，真能从其中获益的有几个？这世界倒是酒鬼充斥，常常做出很多损人不利己的事，所谓“酒、色、财、气”，包括赌博，都可如是观。

一九六五年林海峰在名人挑战赛中，第一局败给坂田荣男，他向恩师吴清源求助，吴清源勉励他秉持“平常心”应战，之后林海峰便以四胜二负击败坂田荣男，成为当时日本有史以来最年轻的名人。相对的，关颖珊曾经三度夺得世界花式滑冰金牌，遗憾的是她在一九九八年冬季奥运会和二〇〇二年冬季奥运会分别只获得银牌和铜牌。依据我个人观察，她两度功败垂成，就在于她太在乎那个荣誉。

第五章　忧患意识

子曰："道其不行矣夫！"

【语译】

孔子说："（既然行道会有过与不及，）正道恐怕就这样没办法实践了！"

【详注】

其：殆、大概。矣夫："矣"和"夫"都是语气助词，用于感叹句末，表示感叹、商讨等语气，相当于"吧"、"了"。"矣"、"夫"连用，加强感叹语气。

【会通】

一句感叹即一章？

朱熹说："此章承上章而举其不行之端，以起下章之意。"意思是：这一章承接上章而举出道能否行得通的怀疑，作为因端，引起下一章的意思。

这一章有点奇怪，所以顾起元说："如果是承接上文，那这句话的上下应该有阙亡的文字。"(《中庸外传》)

孔子的感叹

孔子的圣贤之道，常以尧舜禹汤文武为标准，悬得甚高。有时候，由于爱之深，难免责之切，难免感叹道之不行。《论语·公冶长》中，他说："道不行，乘桴浮于海。"但他事实上并未真的就去探寻海外仙山，还是继续努力，继续作育英才。幸而，下一章，他就提出了"执其两端，用其中于民"的大舜智能。

世事奇妙无比，如果你不忧道之不行，以后道就可能真的不行。如果你怀着忧患意识，唯恐道会倒退，结果正道就会通畅了。宋朝范仲淹所说："仁者先天下之忧而忧，后天下之乐而乐。"不正是此意?

葛洛夫的偏执狂

一九九六年英特尔（Intel）创办人格鲁夫（Andrew Grove）出版了一本瞬间红遍全球的畅销书 *Only The Paranoid Survive*，中文版译为《十倍数的时代》(与原意风马牛不相及)。Paranoid 原意是"偏执狂"，是一种精神病症，指的是过度怀疑或在意别人举止的精神状态。其实葛洛夫当然不会说自己真的偏执，而是强调企业经营者要战战兢兢，要有忧患意识。

其实企业界还有比葛洛夫更偏执的人，他就是苹果公司的创办人乔布斯，他处处追求完美，结果创造出许多典范性产品，使苹果成为最有价值的公司。

第六章　执两用中

子曰：“舜其大知也与！舜好问而好察迩言，隐恶而扬善。执其两端，用其中于民，其斯以为舜乎！”

【语译】

孔子说：“舜实在是有大智慧的人呀。舜喜欢发问，而又能仔细考察身边浅近的言论。对于听到的一切，他都能隐藏别人的过失而宣扬别人的长处；能掌握住一切事理的正反两面，和过与不及两个极端，而采纳适中的原则来治理民事。这应该就是舜之所以能成为‘仁圣盛明’的大舜的缘故了。”

【详注】

子曰：“舜其大知也与！

孔子说：“舜实在是有大智慧的人呀！

其：如同“殆”字。副词，表示推测、估计。即“大概”、“可算是”。知：即“智”字。也：句末语气词，表示判断或肯定。与（yú）：

同“欤”，语末助词，置于句末，可表示感叹，也可表疑问、反诘等语气。在此，一般解为感叹。但如变成自问自答（孔子很喜欢这样），则更加生动。第十七章“舜其大孝也与”，也有同样的表达。

舜好问而好察迩言，隐恶而扬善。

舜喜欢发问，而又能仔细考察身边浅近的言论。隐藏别人的过失，宣扬别人的善行。

好：爱、喜爱。察：留意、明辨、仔细考核。迩言：浅近或左右亲近的言语。也可解作“眼前的人的言论”，表示舜无“贵远贱近”的毛病。迩：近、眼前。

执其两端，用其中于民，

能掌握住一切事理的正反两面，和过与不及两个极端，而采纳适中的原则来治理民事。

执：持守、掌握。两端：正反双方或过与不及两个极端。用：行使。民：百姓。

其斯以为舜乎！”

这应该就是舜之所以能成为‘仁圣盛明’的大舜的缘故了。”

其：可、应该，表示期望。斯：此、这个、这里。用于文言文。以为：认为。舜：《礼记·中庸》疏，谥法云：“受禅成功曰舜”，又云：“仁义势明曰舜”。《白虎通·谥》：“仁圣盛明谥曰舜。”所以孔子有此感叹。乎：表示感叹的语气，相当于“啊”。

【精解】

朱注：舜之所以为大知者，以其不自用而取诸人也。迩言者，浅近之言，犹必察焉，其无遗善可知。然于其言之未善者则隐而不宣，其善者则播而不匿，其广大光明又如此，则人孰不乐告以善哉。两端，谓众论不同之极致。盖凡物皆有两端，如小大厚薄之类，于善之中又执其两端，而量度以取中，然后用之，则其择之审而行之至矣。然非在我之权度精切不差，何以与此。此知之所以无过不及，而道之所以行也。

【会通】

说项：到处逢人说项斯

赠项斯 〔唐〕杨敬之

几度见诗诗总好，及观标格过于诗。

平生不解藏人善，到处逢人说项斯。

江东人项斯，本来并不出名。他带着自己的诗篇，去拜见杨敬之，希望获得赏识。杨敬之写了这首诗送给他。没多久，这首诗流传到长安，再隔一年（公元八四四年），项斯就进士及第了。项斯的诗其实“拙恶有余”，所以杨敬之只能强调他风度（标格）比诗好。这是实情，“诗总好”也含蓄地说出真相。杨敬之的确是懂得隐恶扬善、风度极佳的人。“说项”一词，流传到现在（只是意思变了）。

杜威：祖孙的方法

杜威先生不曾给我们一些关于特别问题的特别主张——如共产主义，无政府主义，自由恋爱之类，他只给了我们一个哲学方法，使我们用这个方法去解决我们自己的特别问题。历史的方法——“祖孙的方法”，他从来不把一个制度或学说，看作一个孤立的东西，总被他看作一个中段；一头是他所以发生的原因，一头是他自己发生的效果；上头有他的祖父，下头有他的孙子。捉住了这两头，他再也逃不出去了！这个方法的应用，一方面是很忠厚宽恕的，因为他处处指出一个制度或学说所以发生的原因，指出他历史的背景，故能了解他在历史上的地位和价值，故不致有过分的苛责。一方面，这个方法又是很严厉的，最带有革命性质的。因为他处处拿一个学说或制度发生的结果，来评判他本身的价值，故最公平，又最厉害。这种方法，是一切带有评判精神的运动的一个武器。（胡适《胡适文选·杜威先生与中国》）

第七章　自知之明

子曰："人皆曰予知，驱而纳诸罟擭陷阱之中，而莫之知辟也。人皆曰予知，择乎中庸而不能期月守也。"

【语译】

孔子说："很多人都说'我很聪明'，却被驱赶进入罗网、机关、陷阱中，而不知躲避。很多人都说自己很聪明，虽然认同了中庸之道，却往往连一个月也无法坚持实践。"

【详注】

子曰："人皆曰'予知'，

孔子说："很多人都说'我很聪明'（自以为懂得为人处事之道，其实只懂得计较利害，而不知正道），

皆：全、都，统括之词。予：我。知（zhì）：同"智"，明智之意。

驱而纳诸罟擭陷阱之中，而莫之知辟也。

却被驱赶进入罗网、机关、陷阱中，而不知躲避。

驱：驱赶。纳：入，使进入。诸：相当“之于”。罟（gǔ）：捕鱼、捕鸟的网。擭（huò）：装有机关的捕兽木笼。陷阱：捕野兽的地坑，比喻陷害人的圈套。罟擭陷阱等等象征罪恶及堕落之路。莫之知辟：即“莫知避之”。之：指罟擭陷阱。辟：即“避”，躲避。

人皆曰‘予知’，择乎中庸而不能期月守也。”

很多人都说‘我很聪明’，虽然认同了中庸之道，却往往连一个月也无法坚持实践。”

择乎中庸：选择了中庸。（表示中庸需要主动选择）择：挑选。乎：相当于“于”。期月：满一个月。期（jī），时间上的周而复始。守：遵行、坚持。朱注：“择乎中庸，辨别众理，以求所谓中庸，即上章好问用中之事也。期月，匝一月也。言知祸而不知辟，以况能择而不能守，皆不得为知也。”

【修辞】

倒装：“莫之知辟”：即“莫知避之”。这是一种“倒装”的修辞方式。（参本书《大学》第十章第二节“倒装”）

象征：罟擭陷阱等象征罪恶和堕落的渊薮。（参本书《大学》“经文”章第一节“象征”）

【会通】

胡适说“被牵着鼻子走”

从前禅宗和尚曾说，“菩提达摩东来，只要寻一个不受人惑

的人”。我这里千言万语，也只是要教人一个不受人惑的方法。（胡适《胡适文选·介绍我自己的思想》）

胡适说“存疑主义”

存疑主义这个名词，是赫胥黎造出来的，直译为“不知主义”。孔丘说，“知之为知之，不知为不知，是知也。”这话确是“存疑主义”的一个好解说。但近代科学还要进一步，他们要问，“怎样的知，才可以算是无疑的知”？赫胥黎说，只有那证据充分的知识，方才可以信仰，凡是没有充分证据的，只可存疑，不当信仰。这是存疑主义的主脑。（胡适《胡适文选·演化论与存疑主义》）

承认无知：智慧的开端

苏格拉底并不以为自己有什么智慧。但是，有一天阿波罗神庙居然有神谕传出，说苏格拉底是全雅典最有智慧的人。他感到讶异，于是前去一探究竟。结果看到庙前刻着几个字：“认识你自己”。他恍然大悟：原来他比别人有智慧，是因为知道自己的无知，而那些自命为智者的人，却连自己一无所知都不知道。所以，对苏格拉底而言，智慧就是有自知之明。能够反省自己的无知，才有可能进一步获取真知。

第八章　拳拳服膺

子曰："回之为人也，择乎中庸，得一善，则拳拳服膺而弗失之矣。"

【语译】

孔子说："颜回做人的方式，就是选择中庸去实践。他学到了一个行善的道理，就牢牢记在心里，不会忘记。"

【详注】

子曰："回之为人也，择乎中庸：

孔子说："颜回做人的方式，就是选择中庸（至正恒常的道理）去实践。

回：指颜回，字子渊，鲁国人，生于公元前五二一年，比孔子小三十岁。孔子最得意的门生，最有德行的弟子。为人：做人的态度、为人处世。择：挑选。

得一善，则拳拳服膺而弗失之矣。"

他学到了一个行善的道理，就牢牢记在心里，不会忘记。”

拳拳服膺：真挚诚恳，牢牢地抱在胸前（表示牢记在心，真诚信服）。拳拳：牢握不舍。朱熹说：“拳拳，奉持之貌”，引申为恳切。服膺：铭记在心，衷心信服。服：着、放在。膺：胸口。弗：副词，不。之：它。朱注：奉持而着之心胸之间，言能守也。颜子盖真知之，故能择能守如此，此行之所以无过不及，而道之所以明也。

【会通】

毕生的努力

然而，遵循普通之道，成为它的一个组成部分，则需要做出毕生的努力。按理应该去做的事是显而易知的；它们全都来自普通的常识。然而，隐藏在这貌似简单的现象下面的则是对贯彻到底之遍及一切的有力的要求。这正是关键之所在。我们都能在一定程度上遵循“中”的原理行事，但是要成为颜回那样的人，“拳拳服膺，而弗失之”，则完全是另外一回事。（杜维明《中庸洞见》第35页）

第九章　均衡人生

子曰：“天下国家可均也，爵禄可辞也，白刃可蹈也，中庸不可能也。”

【语译】

孔子说：“天下国家可以和别人均分，爵位和俸禄可以推辞或放弃，踩在锐利的刀刃上也不在乎。守住中庸的正道却办不到。”

【详注】

子曰：“天下国家可均也，

孔子说：“天下国家可以和别人均分，

天下：古代多指中国范围内的全部土地、统治权。国家：中国古代诸侯称国，大夫称家。可：肯定、赞成、适宜。均：（1）朱注：“均，平治也。”指治理公正。（2）均分。

爵禄可辞也，白刃可蹈也，

爵位和俸禄可以推辞或放弃，踩在锐利的刀刃上也不在乎。

爵禄：指高官厚禄或荣华富贵。爵：爵位。《礼记·王制》说："王者之制禄爵，公、侯、伯、子、男，凡五等。"禄：官吏的薪俸。辞：放弃、辞让。白刃：利刀。蹈：踩踏、践踏。白刃可蹈，敢于冒险之意，是"勇"的表现。

中庸不可能也。"

守住中庸的正道却办不到。"

可能：能，可以做到。

【精解】

朱熹说，放弃权力，犯险不惧的事，虽然已经是天下最难的事，但都各有所偏，只要勉强实践还是做得到。但是"中庸虽易能，然非义精仁熟而无一毫人欲之私者，不能及也。"上述三者，似难实易，中庸似易实难，所以很少人做得到。

戴震说："均谓分疆正域，平量财赋，有取于均之事。天下国家可均，则其人不私者也；爵禄可辞，则其人清者也；白刃可蹈，则其人刚者也；各成其一德而已。中庸必具众德，又非勉于一时，故难。"

【修辞】

层递：由"均天下"到"蹈白刃"到"中庸为不可能"，一层比一层难，这是一种"层递"修辞。（参本书《大学》"经文"章第一节"层递"）

【会通】

修身之难

尽管我们几乎不可能像圣人那样行事，但是我们依然可以理解，使他的伟大成就也无法穷尽，诸如侍奉双亲、照管子女和帮助朋友等，这一类普通美德中所蕴含的所有精微之处。每一个人，包括最标准的君子即圣人在内，总是有自我修身的余地。有一些所谓的君子“遵道而行，半途而废”（《中庸》第十一章），这是不难理解的。一个人只要完全献身于中庸之道，即使他的努力毕生都没有得到承认，也就可以看作圣人了。孔子说：“天下国家可均也，爵禄可辞也，白刃可蹈也，中庸不可能也。”可见，孔子对修身的内在困难，很有体会的。（杜维明《中庸洞见》第39页）

第十章　真正强者

子路问强。子曰："南方之强与？北方之强与？抑而强与？宽柔以教，不报无道，南方之强也，君子居之。衽金革，死而不厌，北方之强也，而强者居之。

故君子和而不流，强哉矫！中立而不倚，强哉矫！国有道，不变塞焉，强哉矫！国无道，至死不变，强哉矫！"

【语译】

子路问，什么是真正的强者。孔子说："你问的到底是南方所谓的强，还是北方所谓的强？还是你自己所谓的强？以宽容与柔和来实施教化。对不合理的对待，不以无理响应，或加以报复，这就是南方人所谓的强，这种强，需要高度智慧与修养，只有有德者才能以这样的态度自处。以兵器甲胄为卧席，随时准备战斗，死了也不害怕，这是北方人所谓的强，是勇者所持的道。

所以君子寻求和谐而又不随波逐流，是真正的强者！实行中道而不偏，是真正的强者！当天下太平时，也不改变他不得意时所持守的正道，是真正的强者！国家混乱时，仍然坚持操守，到死都不改变，是真正的强者！”

【详注】

子路问强。

子路问，什么是真正的强者。

子路：孔子弟子仲由（公元前五四二～前四八〇年），字子路。春秋鲁国卞（今山东省泗水县东）人。姓仲，名由，字子路，一字季路。孔子弟子，性好勇、事亲孝。仕卫，死于孔悝之难。富政治长才，在孔门四科中，列于政事科。强：刚强、坚强、势力过人、有力（与“弱”相对）。

子曰：“南方之强与？北方之强与？抑而强与？

孔子说：“你问的到底是南方所谓的强？还是北方所谓的强？还是你自己所谓的强（还是你应追求的强）？

南方：泛指中国南部地区，约在长江流域及其以南诸地。与（yú）：同“欤”，用于句末，表示疑问、感叹或反诘，相当于“吗”、“呢”。北方：方位名。南的对面，即北边。抑：表示选择，相当于“或者”、“还是”。而：代词，同“尔”，你。

宽柔以教，不报无道，南方之强也，君子居之。

以宽容与柔和来实施教化。对不合理的对待，不以无理响应，或加以报复，这是南方人所谓的强，这种强，需要高度智慧与修养，只有有德者才能以这样的态度自处。

宽：不严苛、度量大。柔：温和。报：回应、报复。无道：无理、不行正道。居：存有，即“自处”。朱注：“南方风气柔弱，故以含忍之力胜人为强，君子之道也。”

衽金革，死而不厌，北方之强也，而强者居之。

以兵器甲胄为卧席，随时准备战斗，死了也不害怕。这是北方人所谓的强，是勇者所持的道。

衽（rèn）：卧席。（此处作为动词，即睡卧、“以……为卧席”）金：指铁制的兵器。革：指皮革制的甲盾或盔甲。不厌：不满足，即死而无憾。厌：通“餍”，满足、饱。朱注：“北方风气刚劲，故以果敢之力胜人为强，强者之事也。”

故君子和而不流，强哉矫！

所以君子寻求和谐而又不随波逐流，是真正的强者！

和：适中、恰到好处。流：放纵、放荡、向坏的方向改变。哉：表示惊叹的语气。矫：强健、壮盛。

中立而不倚，强哉矫！

实行中道而不偏，是真正的强者！

中立：居中站立、意志坚定不摇。倚：偏斜、侧偏。

国有道，不变塞焉，强哉矫！

当天下太平时，也不改变他不得意时所持守的正道，是真正的强者！

有道：天下太平。塞：与“通”相对，阻隔不通。困厄，时运不佳。指“未通”讲，转为“人未得意”的意思。

国无道，至死不变，强哉矫！”

国家混乱时，仍然坚持操守，到死都不改变，是真正的强者！”

无道：国政不修、社会混乱。朱注：“国有道，不变未达之所守；国无道，不变平生之所守也。此则所谓中庸之不可能者，非有以自胜其人欲之私，不能择而守也。君子之强，孰大于是。夫子以是告子路者，所以抑其血气之刚，而进之以德义之勇也。”

【精解】

南北文化的差异

孔子答子路问强，却先提出南方与北方之分别。这一点显示文化史上一个重要问题，即先秦时代的中国文化有南北两支；不仅是衣食习惯不同，而且道德标准也不同。所以孔子答子路，先讨论这两种标准来反问子路。（劳思光《大学中庸译注》）

【修辞】

设问：自问自答

董季棠说：“作者想要表达的意思，不作普通的叙述，而用询问的口气显示，使文章激起波澜，让读者格外注意。这种修辞法叫作‘设问’。顾名思义，‘问’既是‘设’，就跟普通的‘问’不同。”（董季棠《修辞析论》）

“子曰：‘南方之强与？北方之强与？抑而强与？宽柔以教……’”孔子连续问了三个问题，然后自己就开始回答。这种设问，又称“自问自答”。（参本书《中庸》第三十二章“设问”、“反问”）

借代

“衽金革”的“金”，本来是金属的总称，这里用来代指“刀剑之类的武器”；“革”，本来是指加工处理过的兽皮。这里用来代指“皮革制的甲盾或盔甲”。因而“金革”就成了“刀剑甲胄之类兵器”的代称。这就是所谓“借代”。

平常说惯的词语，不新奇，引不起读者的注意；作者用另一种说法来表示，使人有耳目一新之感。这另一种说法，虽不是本来的事物，但和本来的事物必有某种关系，如全体和部分的关系，或标帜和本体的关系等，借它来代表。这种修辞法，叫作“借代”。（董季棠《修辞析论》第209页）（参本书《中庸》第十七章“借代”）

类叠

本章四个“强哉矫！”一再出现，真是强而有力的修辞。（参本书《大学》第七章“类叠”）

【会通】

柳树理论

强者如竹如柳，可以屈身，而有坚持的一面。

银行家彭淮南对于外汇运作，有一个著名的“柳树理论”，形容具有弹性的汇率，正如柔软的柳树，于台风来临时不会折断。当外资大量进出影响汇率时，就让汇率波动区间变大，以降低冲击。彭淮南说："柳树在台风来就动，台风过去就停止。所以当热钱进来时，假如要守一个固定汇率，会被打到头破血流。在外资丢钱的时候不能够去守一个价位。当他丢完时，就像风静了，柳树就停止。风来就动，风停就回复到原来水平。"

老子说强

老子《道德经》第三十三章："知人者智，自知者明。胜人者有力，自胜者强。知足者富，强行者有志。不失其所者久，死而不亡者寿。"第五十章："见小曰明，守柔曰强。"

第十一章　遵道而行

子曰："素隐行怪，后世有述焉，吾弗为之矣。君子遵道而行，半涂而废，吾弗能已矣。君子依乎中庸，遯世不见知而不悔，唯圣者能之。"

【语译】

孔子说："以隐居为常，而行为怪异，以求名声。后世有所传述，我却不做这种事。有德者依循正道去做，到了半路却放弃了，我是不会这样子做的。有德者遵循中庸之道，即使离开社会而不被人了解也不后悔；唯独具有最高道德和智慧的人才能做到。"

【详注】

子曰："素隐行怪，后世有述焉，吾弗为之矣。

孔子说："以隐居为常，而行为怪异，以求名声。后世有所传述，我却不做这种事。

素隐行怪：以隐居为常，而行为怪异，以求名声。“素”有三说。一、依郑玄注，同“傃”，“向”的意思。素隐行怪，就是趋向于避害隐身，而行为诡谲。二、朱熹认为，依《汉书》“素”应作“索”。索隐，即搜索隐僻的道理，而做太多诡异的行为。三、倪思说：“素”即是“平素”、“素常”之意，与下文“素其位而行”的“素”同义。“素隐”是以隐居为常，而不知变通。因此，素隐行怪，就是指老庄一派的退隐曲全。行怪：即是做出诡异的行为。述：记述，传述。朱熹解为“称述”。弗为：不做。之：指素隐行怪。朱注：“素，按《汉书》当作索，盖字之误也。索隐行怪，言深求隐僻之理，而过为诡异之行也。然以其足以欺世而盗名，故后世或有称述之者。此知之过而不择乎善，行之过而不用其中，不当强而强者也，圣人岂为之哉！”

君子遵道而行，半涂而废，吾弗能已矣。

有德者依循正道去做，到了半路却（力不足）放弃了，我是不会这样子做的。

君子：有德者、才德出众的人。遵：依循。半涂：半路。涂：同“途”。废：停止，中止。弗能：不能。已：停止。朱注：“遵道而行，则能择乎善矣；半涂而废，则力之不足也。此其知虽足以及之，而行有不逮，当强而不强者也。已，止也。圣人于此，非勉焉而不敢废，盖至诚无息，自有所不能止也。”

君子依乎中庸，遯世不见知而不悔，唯圣者能之。”

有德者遵循中庸之道，即使离开社会而不被人了解也不后悔；唯独具有最高道德和智慧的人才能做到（不见知而不悔）。”

依：按照、遵循。能：善于此道。遯世：逃离人世，独自隐居。遯：逃，同“遁”。如：“遯迹山林”。见知：被人了解。这里指被赏识、重用。见：被。悔：事后追恨。圣者：即是“圣人”，具有最高道德和智慧的人。朱注：“不为索隐行怪，则依乎中庸而已。不能半涂而废，是以遯世不见知而不悔也。此中庸之成德，知之尽、仁之至、不赖勇而裕如者，正吾夫子之事，而犹不自居也。故曰唯圣者能之而已。”

【精解】

康有为说“素隐”

康有为云：“素隐，如老学之隐退曲全；行怪，如墨子之生不歌死无服。凡诸子皆是。言之有理，持之有故，极易惑人，故徒众广大，多有嗣为其后以述其教者。孔子以前，若沮溺楚狂之隐，子桑伯子原壤之怪，其类甚多。孔子皆不欲为之，言此为外道异教，不可众也。盖有智仁勇之德，尤不可溺于非道也。此为误入异道者戒。”（康有为《中庸注》第 6 页）

【修辞】

倒装

“遯世不见知而不悔，惟圣者能之”是“惟圣者能遯世不见知而不悔”的倒装。（参本书《大学》第十章第二节“倒装”）

【会通】

终南捷径

唐代有很多假隐士在终南山隐居，实际上不是为了修行，而是“以退为进”，找机会接近权贵，以求受到皇帝重用。这就是所谓“终南捷径”。

终南捷径的开路先锋是卢藏用（？—公元七一三年），他本来考中进士，却一直没被调用。干脆到山里隐居，后来果然被征召，官至尚书右丞。卢藏用之后，走这条路的人很多，最有名的要数大诗人李白（公元七〇一—七六二年）。李白曾在四川和山东隐居，结果名气大了，也走了“终南捷径”，得以“待召翰林”，可惜没多久又受到排挤，走上漂泊之路。

第十二章　广大精微

君子之道，费而隐。夫妇之愚，可以与知焉；及其至也，虽圣人亦有所不知焉；夫妇之不肖，可以能行焉；及其至也，虽圣人亦有所不能焉。天地之大也，人犹有所憾。故君子语大，天下莫能载焉；语小，天下莫能破焉。

《诗》云："鸢飞戾天，鱼跃于渊。"言其上下察也。君子之道，造端乎夫妇；及其至也，察乎天地。

【语译】

成为君子所应走的正路，应用面非常广泛。但是道理是抽象的，本体广大而微妙，并非显而易见。即使是没知识的平常老百姓，也可以懂得一点皮毛。但是说到最高境界，即使是有最高智慧道德的圣人，也有不了解的部分。即使是没有才能的平常老百姓，也能做得到。但是到了最高境界，即使是具有最高智慧道德的圣人，也有做不到的地方。天地的造化之功，如此广大，人还是有不满意、感到遗憾的地方。所以有德者说到中庸之道的广大时，连整个天地也无法完全承载它，说到最精微的地方，全天下没有任何东西可以解析它。

《诗经》上说："老鹰高飞到天上，鱼儿跳跃在深渊。"这就是说上至天边，下至深渊，都能明察清楚。有德者的正道，可以从平常男女的日常言行开始实践，而最远可以上察于天，下察于地，无所不到。

【详注】

君子之道，费而隐。

成为君子所应走的正路，应用面非常广泛。但是道理是抽象的，本体广大而微妙，并非显而易见。

君子：指"有志成为君子的人"。费而隐：极广大但也极精微。费：烦琐，指道的应用面非常广泛（看得见的宇宙万象）。隐：隐蔽、深远微妙。指道的本体（主导一切的真理大道）不是显然易见。《老子》四十一章："大象无形，道隐无影。"

夫妇之愚，可以与知焉；

即使是没知识的平常老百姓，也可以懂得一点皮毛。

夫妇：犹言"匹夫匹妇"，指平民男女。可以与知焉：可以参预这种了解。愚：无知。与（yù）：即"预"，参与。

及其至也，虽圣人亦有所不知焉；

但是说到最高境界（最精微之处），即使是有最高智慧道德的圣人，也有不了解的部分。

至：最高境界。圣人：具有最高智慧和道德的人。知：认识、了解。

夫妇之不肖，可以能行焉；

即使是没有才能的平常老百姓，也能做得到。

不肖：不贤、无才能。行：做、从事。

及其至也，虽圣人亦有所不能焉。

但是到了最高境界，即使是具有最高智慧道德的圣人，也有做不到的地方。

不能：无才能、未及、不及。

天地之大也，人犹有所憾。

天地的造化之功，如此广大，人还是有不满意、感到遗憾的地方。(如遭遇不幸时)

犹：尚且。憾：遗憾、不满意。

故君子语大，天下莫能载焉；

所以有德者说到中庸之道的广大时，连整个天地也无法完全承载它。

语小，天下莫能破焉。

说到最精微的地方，全天下没有任何东西可以解析它。

破：剖开、析解、劈开。

《诗》云："鸢飞戾天，鱼跃于渊。"

《诗经》说："老鹰高飞到天上，鱼儿跳跃在深渊。"

《诗》：引自《诗经·大雅·旱麓》，这首诗是赞扬和悦平易的周王祭祀得福。原诗为"鸢飞戾天，鱼跃于渊。岂（kǎi）弟君子，遐不作人？”意思是：“老鹰飞翔，直达九天。鱼在深潭里跳跃。和蔼可亲的君子，怎么能不振奋人心呢？”此处引用，意在强调“上下察也”。鸢：即“老鹰”。戾（lì）：到达。渊：深水、深潭。象征最低的地方。

言其上下察也。

这就是说上至天边，下至深渊，都能明察清楚。

察：至、明辨、了解、清楚。

君子之道，造端乎夫妇；

有德者的正道，可以从平常男女的日常言行开始实践。

造端：开始。造：创造。端：开头、发端。

及其至也，察乎天地。

而最远可以上察于天，下察于地，无所不到。

【会通】

诗说“天地之大”

鸢飞鱼跃二首 〔宋〕朱熹

此理充盈宇宙间，下穷鱼跃上飞鸢。
飞斯在上跃斯下，神化谁知本自然。
神化谁知本自然，盍将此意反而观。
试将事上深加察，才着些私便不安。

老天爷的无奈

叹世（中吕·山坡羊）〔元〕陈草庵

伏低伏弱，装呆装落。是非犹自来着莫。任从他，待如何？天公尚有妨农过，蚕怕雨寒苗怕火。阴，也是错；晴，也是错。

第十三章　同理之心

第一节

子曰："道不远人。人之为道而远人，不可以为道。《诗》云：'伐柯伐柯，其则不远。'执柯以伐柯，睨而视之，犹以为远。故君子以人治人，改而止。忠恕违道不远，施诸己而不愿，亦勿施于人。

君子之道四，丘未能一焉：所求乎子以事父，未能也；所求乎臣以事君，未能也；所求乎弟以事兄，未能也；所求乎朋友先施之，未能也。庸德之行，庸言之谨，有所不足，不敢不勉；有余不敢尽；言顾行，行顾言，君子胡不慥慥尔！"

【语译】

孔子说："道是不远离人的。人如果从事于道而远离人性，那就不叫作道。《诗经》上说：'砍伐树枝呀，砍伐树枝呀，要砍怎样的木头，标准就在眼前。'手里拿着（旧）斧柄砍伐树枝（来做新斧柄），斜着眼睛看，看偏了，还以为标准在很远的地方呢。所以有德者在治理、教化别人的时候，要顺乎人性，因材施教，别人如果有错能改就行了。

能做到忠和恕，基本上就是走上正道了，凡是不乐意别人对待自己的方式，也不要用那种方式对待别人。

君子有四项正道，我一样也没有做到。对于人子应当尽心侍奉父亲的要求，我没有做到；对于人臣应当尽心服事国君的要求，我没有做到；对于弟弟应当尽心服事兄长的要求，我没有做到；作为朋友应当先付出的要求，我没有做到。

平常德性的实践，平常言语的谨慎，做得不够周到时，不敢不继续努力；有很多话要说，有时必须适度留下余地。说的话就要能兑现，做事时还要能顾及所说的话。有德的人能够言行一致，怎么会不忠厚诚实呢？”

【详注】

子曰：“道不远人。人之为道而远人，不可以为道。

孔子说：“正道不会远离人性，人若为了修道而远离人性，那就不是道了。”

远（yuàn）：离开、疏远、违背。为道：修道。为：行、作。不可以为道：不可能是正道。为：是。朱注：“道者，率性而已，固众人之所能知能行者也，故常不远于人。若为道者，厌其卑近以为不足为，而反务为高远难行之事，则非所以为道矣！”程伊川说：“《中庸》曰：‘道不可须臾离也，可离非道也。’又曰：‘道不远人。’此特圣人为始学者言之耳。论其极，岂有可离与不可离而远与近之说哉？”（见《二程遗书》）

《诗》云：‘伐柯伐柯，其则不远。’

《诗经》上说：‘砍伐树枝呀，砍伐树枝呀，要砍怎样的木头，标准就在眼前。’

《诗》：引自《诗经·豳风·伐柯》。伐：砍，砍伐。柯：草木的枝茎。则：准则。

执柯以伐柯，睨而视之，犹以为远。

手里拿着（旧）斧柄砍伐树枝（来做新斧柄），斜着眼睛看，看偏了，还以为标准在很远的地方呢。

执柯：握着斧柄。执：握、持。柯：指斧柄。睨而视之，犹以为远：伐柯的人不知道自己所握着的柯即是标准，反而舍近求远，看到别处去，以为离标准很远。睨：偏斜、斜视。

故君子以人治人，改而止。

所以有德者在治理、教化别人的时候，要顺乎人性，因材施教，别人如果有错能改就行了。

以人治人：依人性（人情）管理。治（chí）：作动词用，治理，管理。止：已。

忠恕违道不远，施诸己而不愿，亦勿施于人。

能做到忠和恕，基本上就是走上正道了，凡是不乐意别人对待自己的方式，也不要用那种方式对待别人。

忠恕：竭尽心力并推己及人，这是儒家的道德伦理基本思想。忠：办事尽心尽力。恕：仁爱、推己及人。违道：离道。违：相去、离开。施：加、施加。愿：甘心、乐意。人：别人、他人。《论语·里仁》：子曰："参乎！吾道一以贯之。"曾子曰："唯。"子出，门人问曰："何谓也？"曾子曰："夫子之道，忠恕而已矣。"

君子之道四，丘未能一焉：

君子有四项正道，我一样也没有做到。

道：路途、途径。丘：孔子名。未能一焉：还不能做到其中的任一项。

所求乎子以事父，未能也；所求乎臣以事君，未能也；

对于人子应当尽心侍奉父亲的要求，我没有做到；对于人臣应当尽心服事国君的要求，我没有做到。

求：责求，要求。乎：介词，相当于"于"。事：侍奉。

所求乎弟以事兄，未能也；所求乎朋友先施之，未能也。

对于弟弟应当尽心服事兄长的要求，我没有做到；作为朋友应当先付出的要求，我没有做到。

施：给，给予。

庸德之行，庸言之谨，

平常德性的实践，平常言语的谨慎。

庸德：平常的德行与言语。庸：平常。这个庸字，和"中庸"的"庸"字，不完全相同。行：实践。庸言：平常的言语。谨：慎重选择。

有所不足，不敢不勉；有余不敢尽；

做得不够周到时，不敢不继续努力；有很多话要说，有时必须适度留下余地。

不足：指德性的实践有不够完善、周到的地方。勉：勤奋、努力。

有余不敢尽：体谅别人的感受和立场，说话留有余地。所能办到的事，虽然行有余力，也不做得过分。

言顾行，行顾言，君子胡不慥慥尔？”

说的话就要能兑现，做事时还要能顾及所说的话。有德的人能够言行一致，怎么会不忠厚诚实呢？”

言顾行，行顾言：言行一致。顾：关注、照应。胡：何不、怎么。慥慥 zào：踏实、忠厚诚实的样子。尔：表示疑问的语气，同“乎”。

【修辞】

借代

“执柯以伐柯”直接译成白话就是：“握着树枝砍树枝”。树枝怎能当刀斧用呢？显然，第一个“柯”字是指“斧柄”。这是一种“借代”的修辞法。（参本书《中庸》第十章、第十七章“借代”）

【会通】

道不远人：我们在幼儿园都学了

一九八八年，我初次由教育部门派驻美国，有一本 Robert Fulghum 所写的畅销书，引起我的注意，书名是：《人生中该学的事，我在幼儿园都学了》（*All I Really Need to Know, I Learned in Kindergarden*）。仔细想想，这本书所讲的不就是庸言与庸德吗？卑之无甚高论，却是人生至理。

这本书有五十篇小文章，篇篇发人深省。以下摘要列出几个标题。

1. Share Everhtying. 和别人分享。

2. Don’t hit people. 别乱打人。

3. Play fair. 公平竞争。

4. Put thing back where you found it. 物归原位。

5. Clean up your own mess. 自己搞砸的事，自己收拾。

6. Don’t take things that aren’t yours. 别拿别人的东西。

7. Say you’re sorry when you hurt somebody. 伤害到别人时要说对不起。

8. Wash your hands before you eat. 饭前洗手。

9. Flush. 会脸红，要有羞耻心。

10. Live a balanced life-learn some and think some and draw and paint and sing and play and work everyday some. 平平安安过日子，每天学一些，想一些，画呀唱呀玩呀做呀各一些。

11. Take a nap every afternoon. 每天都要午睡。

12. When you go out in the world watch out the traffic, hold hands and stick together. 出门时，注意交通安全，手牵手，一起走。

第十四章　居易俟命

君子素其位而行，不愿乎其外。素富贵，行乎富贵；素贫贱，行乎贫贱；素夷狄，行乎夷狄；素患难，行乎患难。君子无入而不自得焉。

在上位不陵下，在下位不援上；正己而不求于人，则无怨。上不怨天，下不尤人。故君子居易以俟命，小人行险以徼幸。子曰："射有似乎君子；失诸正鹄，反求诸其身。"

【语译】

有德者守着自己当下所处的地位行事，不作非分之想。本来处在富贵的地位，就过富贵的生活；本来处在贫贱的地位，就能安贫乐道；本来是在夷狄之邦，就过夷狄地区的生活，本来是处在忧患灾难之中，就要面对问题去处理；有德者不论到哪里，处在什么环境，都能安然自得。

地位高的人，不欺凌地位低的人；地位低的人，不巴结地位高的人；自求行为端正而不求别人，就不会抱怨命运，也不会归咎别人。所以有德者自居于平实之处，等待天命以充分实现本性。无德智修养的小人，不择手段、铤而走险，妄图非分的成功或好处。孔子说：“射箭的规矩好像君子之道；射不中箭靶和靶中的红心，就要回头检讨自己。”

【详注】

君子素其位而行，不愿乎其外。

有德者守着自己当下所处的地位行事，不作非分之想。

素其位而行：安于平常的地位，去做应做的事。素：本、始、现在、平素，这里作动词用。愿：要求。外：本位以外的事。

素富贵，行乎富贵；素贫贱，行乎贫贱；

本来处在富贵的地位，就过富贵的生活；本来处在贫贱的地位，就能安贫乐道；

素夷狄，行乎夷狄；素患难，行乎患难。

本来是在夷狄之邦，就过夷狄地区的生活，本来是处在忧患灾难之中，就要面对问题去处理；

夷狄：野蛮、文化落后的地方。古代泛称东方各族为“夷”，北方各族为“狄”，因而用以泛指异族人。患难：忧患、灾难。患：祸害、灾难。

君子无入而不自得焉。

有德者不论到哪里，处在什么环境，都能安然自得。

无入：无论处于什么情况下。入，处于、进入某种情境。自得：自得其道。

在上位不陵下，在下位不援上；

上位：高级的地位。地位高。不陵下：不欺在下位的人。陵：同“凌”，欺压、欺侮。不援上：不攀附在上位的人。援：攀援、巴结。

正己而不求于人，则无怨。

正己：要求自我端正。则无怨：就不会与人结怨。

上不怨天，下不尤人。

尤：抱怨；归咎。朱注：“此言不愿乎其外也。”

故君子居易以俟命，小人行险以徼幸。

所以有德者自居于平实之处，等待天命以充分实现本性。无德智修养的小人，不择手段、铤而走险，妄图非分的成功或好处。

易：平易、平实。俟：等待。命：指天命。小人：无德智修养、人格卑劣的人。行险：做危险的事、走偏锋。险：邪恶狠毒、阴沉难测。徼幸：同“侥幸”，希望获得意外的成功，或免去不幸。徼：求。幸：不当得而得。

子曰：“射有似乎君子；失诸正鹄，反求诸其身。”

孔子说：“射箭的规矩好像君子之道；射不中箭靶和靶中的红心，就要回头检讨自己。”

射：有关放箭技能的训练。有似：好像。失诸正鹄：射不中靶心。正鹄：箭靶的中心，引申为目的。古人射箭时所张的箭靶为“侯”。正鹄（zhēng gǔ）都是小鸟名（正尤其小，箭靶用正鹄，可能是因为不容易射中的缘故）。古人在布或其他材料上画上这两种鸟的形象，用作射箭的靶子。画在布上的叫“正”，画在皮上的叫“鹄”。反求诸身：回过头来要求自己改进。射箭未中中心，不能怪别人，只能检讨自己，这是君子的表现。

【修辞】

映衬：本章“富贵”对“贫贱”，“上位”对“下位”，“君子”对“小人”都运用了“映衬”的写作技巧。（参本书《大学》第一章第六节“映衬”）

【会通】

随缘安分的人——严长寿

读本章每到“君子无入而不自得焉”，总会想起《总裁狮子心》的作者严长寿。他出身寒微，但有志气，不怨天尤人，凡事反求诸己，每一个工作都安于其位，力求超标准的尽忠职守。他把握机会勤学不懈，克服了学历的障碍。他是一个谦谦君子，而又热心公益。在此不介绍他的事迹，因为他写了好几本精彩的书，都值得亲自品尝。

诗人的自得境界

秋日偶成 〔宋〕程颢

闲来无事不从容，睡觉东窗日已红。

万物静观皆自得，四时佳兴与人同。

道通天地有形外，思入风云变态中。

富贵不淫贫贱乐，男儿到此是豪雄！

第十五章　登高自卑

君子之道，辟如行远必自迩，辟如登高必自卑。《诗》曰：“妻子好合，如鼓瑟琴；兄弟既翕，和乐且耽；宜尔室家，乐尔妻孥。”子曰：“父母其顺矣乎！”

【语译】

要实践君子所持守的正道，就如同远行，一定要从眼前最近的一步开始。就如同攀登高山，一定要从最低的地方出发。《诗经》上说：“与妻子情投意合，就如同弹奏琴瑟一般和谐。兄弟既然和睦，也就快乐无穷。你的家庭多么美好，你的妻儿也很快乐。”孔子说：“如此一来，父母也应该会安乐了。”

【详注】

君子之道，辟如行远必自迩，辟如登高必自卑。

要实践君子所持守的正道，就如同远行，一定要从眼前最近的一步开始。就如同攀登高山，一定要从最低的地方出发。

辟如：譬如。迩：近。卑：位置低下，与“高”相对。

《诗》曰：“妻子好合，如鼓瑟琴；

《诗经》上说：“与妻子情投意合，就如同弹奏琴瑟一般和谐。

《诗》：引自《诗经·小雅·常棣》。这首诗叙述兄弟之情，以劝兄弟相亲。妻子：古代包含妻子、儿女，此处似偏重妻子一义。好（hào）合：《郑笺》：“志意合也。合者，如鼓瑟琴之声相应和也。”合：志意相合、情投意合。鼓：动词，弹奏。瑟琴：譬喻和谐。《诗笺》：“如鼓瑟琴之声相应和也。”以瑟和琴比喻和谐，后世称美夫妇，因而以瑟琴比喻。

兄弟既翕，和乐且耽；宜尔室家；乐尔妻帑。”

兄弟既然和睦，也就快乐无穷。你的家庭多么美好，你的妻儿也很快乐。”

翕（xì）：合也。耽：乐之久也；沉醉于喜乐。耽，《诗经》作“湛”（dān）。帑（nǔ）：子孙。宜：有益、适宜。

子曰：“父母其顺矣乎！”

孔子说：“如此一来，父母也应该会安乐了。”

其：可、应该，表示期望。顺：调和的、安乐的意思。矣乎：语气助词，用于感叹句末，加强感叹语气。朱注：“夫子诵此诗而赞之曰：‘人能和于妻子，宜于兄弟如此，则父母其安乐之矣。’子思引诗及此语，以明行远自迩、登高自卑之意。”

【修辞】

譬喻

“辟如行远”、“辟如登高”和“如鼓瑟琴”都是用“譬喻”的修辞，使行文更加生动。（参本书《大学》“经文”章第二节“譬喻”）

【会通】

刘备勉阿斗：勿以恶小而为之，勿以善小而不为。

那是一九六七年，我就读师专的时候。下午第一节课上的是“公民与道德”。曾任双溪初中校长的颜德懋老师由瑞芳赶来上课。夏日炎炎，颜老师挥汗如雨，但态度诚恳，使我们不得不加倍努力和周公搏斗。事隔数十年，颜老师的话大多忘了。但他说过的两句话，却总是萦回脑海。

第一句是出自《国语》的八个字：“从善如登，从恶是崩。”

第二句，也与此相关。在《三国演义》第八十五回，刘备劝勉他的儿子说：“勿以恶小而为之，勿以善小而不为。唯贤唯德，能服于人。”

这两句话，一直是我的人生指针。

老子、荀子说“行远自迩”

老子说:“千里之行,始于足下。”荀子说:“不积跬步,无以至千里;不积小流,无以成江海。”俗语说:“万丈高楼平地起”,都是“行远必自迩”之意。

第十六章　面对未知

子曰："鬼神之为德，其盛矣乎！视之而弗见，听之而弗闻，体物而不可遗。使天下之人齐明盛服，以承祭祀。洋洋乎！如在其上，如在其左右。《诗》曰：'神之格思，不可度思！矧可射思！'夫微之显，诚之不可揜如此夫！"

【语译】

孔子说："鬼神的作用，可说是很大的了。看他却见不到，听他却闻不到，体现于万物之中，没有任何东西可以例外。如果天下的人都先行斋戒沐浴，然后穿着华美的衣服，来隆重祭祀。真是充满洋溢呀，祭祀时他仿佛就在我们的上方，仿佛就在我们的左右。

《诗经》上说：'神灵的降临，行迹不可揣测，人们怎么能够厌弃懈怠不信呢。'鬼神的存在隐微，作用却明显；真诚的心意不可遮掩，情况也是这样的啊！"

【详注】

子曰："鬼神之为德，其盛矣乎！

孔子说："鬼神的作用，可说是很大的了。

鬼神：亡魂与神灵。古人相信人死后灵魂不灭，称为"鬼"。一般指已死的祖先。神：神灵、神仙。宗教及神话中所指的主宰物质世界的、超自然的、具有人格和意识的存在。西周以前，鬼神的观念极为普遍。朱熹认为鬼神是天地间一种精气的聚散变化。《论语·述而》："子不语怪、力、乱、神。"《中庸》的鬼神观，与《论语》中的孔子的见解是有差异的。为德：朱注："犹言性情功效。"为：作为。德：在此指功能、作用。古人谈鬼神，往往离不开鬼神的"作用或功能"，也不脱离"教化或祭祀"而单独谈论鬼神。盛：盛大。

视之而弗见，听之而弗闻，体物而不可遗。

看他却见不到，听他却听闻不到，体现于万物之中，没有任何东西可以例外。

弗：不。体物：体现于万事万物中。体：表现。物：万事万物。遗：遗漏。

使天下之人齐明盛服，以承祭祀。

如果天下的人都先行斋戒沐浴，然后穿着华美的衣服，来隆重祭祀。

使：假使、假如。齐明盛服：先行斋戒沐浴，然后穿着华美的衣服隆重祭祀。齐：同"斋"，即斋戒。古人在隆重典礼（如祭祀）前，要先斋戒（斋七日，戒三日）。明：清洁。承：奉、承当、侍奉。祭祀：古人对神灵、祖先或死者表示敬意的一种仪式。

洋洋乎！如在其上，如在其左右。

真是充满洋溢呀，他仿佛就在我们的上方，仿佛就在我们的左右。

洋洋：流动充满的样子。乎：语气词，表示赞美或感叹，相当于“啊”或“呀”。

《诗》曰：‘神之格思，不可度思！矧可射思！’

《诗经》说：‘神灵的降临（感通），行迹不可揣测，人们怎么能够厌弃懈怠不信呢。’

《诗》：引自《诗经·大雅·抑》。格：来、降临，也可作“感通”解。思：语助词。度（duò）：揣度、猜测。矧可度思：意谓敬慎从事，尚不知何时行有差误，神必知之也。况厌于敬慎，则何得无过乎？矧（shěn）：况且。射（yì）：厌倦、厌怠不敬。

夫微之显，诚之不可揜如此夫！”

鬼神的存在隐微，作用却明显；真诚的心意不可遮掩，情况也是这样的啊！”

夫微之显：从隐微到显著、鬼神的存在隐微，作用明显。夫（fú）：发语词，表提示作用。之：而。诚：真实无妄、真诚的心意。揜（yǎn）：掩蔽、遮蔽。夫（fú）：语气词。犹“乎”。用于语尾表示感叹。

【修辞】

示现：活灵活现

想象有翅膀，会飞！看电影或电视连续剧，往往会有回忆往事的情节，有时候故事中人进入梦中，发生一些实际上还没有发生的事；另外，科幻片还可以“回到未来”，而灵异片更是装神弄鬼，匪夷所思。这些电视、电影中的情节和运用的技巧，诗歌和文章中也都有。这种为了“引人入胜”，可以超越时空，进入另外一个境界或幻境，把实际上看不见、听不到或没发生过的事，说得好像亲眼目睹，亲耳听见一般的修辞法，我们称为“示现”或“悬想”。

王维诗《九月九日忆山东兄弟》：“独在异乡为异客，每逢佳节倍思亲。遥知兄弟登高处，遍插茱萸少一人。”王维在异乡长安写诗，却可以设想在华山以东的家乡兄弟，在插茱萸过节时，找不到自己。这是古人所谓“对面写来”的写作技巧，也就是“示现”。

本章“使天下之人齐明盛服，以承祭祀。洋洋乎，如在其上，如在其左右”，把“视之而弗见，听之而弗闻”的鬼神，说得活灵活现，用的也是“示现”的修辞方式。

【会通】

陈槃说“鬼神”

“鬼神之为德，其盛矣乎！”案《周礼·大宗伯》：“掌天神、人鬼、地示”。是谓神鬼有别，后世人亦以人死其精魂为鬼，天地山川之灵明者曰神。但古人或不分，《墨子·明鬼》下：“古今之为鬼非他也，有天鬼，有山水鬼神者，亦有人死而为鬼者”。是吾人今以为神者，古人并以为鬼。《庄子·达生》所举又有污泥、灶户、山水之鬼，而《史记·封禅书》中亦有灶鬼。由余对秦缪公曰：“使鬼为之，则劳神矣；使人为之，亦苦民矣。”（《史记·秦本纪》）郑玄曰：“人神曰鬼”（《论语·为政》何注引）。此并神鬼互称，是神鬼不分。（陈槃《大学中庸今释》）

第十七章　大德受命

子曰："舜其大孝也与！德为圣人，尊为天子，富有四海之内。宗庙飨之，子孙保之。故大德必得其位，必得其禄，必得其名，必得其寿。故天之生物，必因其材而笃焉。故栽者培之，倾者覆之。

《诗》曰：'嘉乐君子，宪宪令德。宜民宜人，受禄于天。保佑命之，自天申之。'故大德者必受命。"

【语译】

孔子说："舜可算是最孝顺的人了。论德行，他是圣人；论尊贵，他是天子；论财富，全天下都是他的。有宗庙来祭祀他，又有子孙继承，守住他的德业。所以，有大德性的人，一定会获得应有的地位，一定会获得应有的禄养，一定会获得应有的名誉，一定会获得应有的长寿。所以天生万物，一定顺着他本身的资质而厚待他；因而对可栽植的就培养他，对要倾倒的就让他倒下去。

《诗经》上说：'有美善而安乐的君王，光显他的美德；使其民其人皆能得其宜。他从上天得到禄养，上天保佑他，给他天命，也不断重申天命。’所以，有大德的人一定可以受到天命。”

【详注】

子曰：“舜其大孝也与！

孔子说：舜可算是最孝顺的人了。

其：如同“殆”字，表示推测。即“大概”、“可算是”。也：句末语气词，表示判断或肯定。与：同“欤”，语末助词，表示感叹。

德为圣人，尊为天子，富有四海之内。

论德行，他是圣人；论尊贵，他是天子；论财富，全天下都是他的。

德：德性。为：表示判断，相当于现代汉语的“是”。算是、称为。圣人：具有最高智慧和道德的人。在儒家思想中，指最高人格理想的人。尊：尊贵、地位高。富有四海之内：古人认为天下是天子的。有：占有。四海：古人以东海、南海、西海、北海为四海，说四海，就是指“天下”，而所谓“天下”，实际就是整个中国。

宗庙飨之，子孙保之。

有宗庙来祭祀他，又有子孙继承，守住他的德业。

宗庙：古代帝王、诸侯或大夫、士为维护宗法制而设立的祭祀祖宗的处所。宗：祖宗。庙：祭祖的地方。飨：合祭。飨，意为以酒食款待人，这里指用祭品供奉祖先，是一种祭祀形式。之：代词，指舜。子孙保之：由子孙继承，守住他的德业。周时的陈国，是舜的后代。由舜到陈，世世祭祀不绝，所以说“子孙保之”。保：保卫、守住。

故大德必得其位，必得其禄，必得其名，必得其寿。

所以，有大德性的人，一定会获得应有的地位，一定会获得应有的禄养，一定会获得应有的名誉，一定会获得应有的长寿。

大德：德性伟大的人。必：肯定、一定。得：获、取。与“失”相对而言。位：地位、职位、官爵，特指天子或诸侯的高位。禄：俸禄、福泽。名：声誉、大名。寿：长命、长寿。据《史记·五帝本纪》，舜活到一百一十八岁。

故天之生物，必因其材而笃焉。

所以天生万物，一定顺着他本身的资质而厚待他；

材：资质。笃：厚、重视、专注、增益。这里指“厚待”。

故栽者培之，倾者覆之。

因而对可栽植的就培养他，对要倾倒的就让他倒下去。

栽者培之：对可以栽植的，就培养他。朱注：“栽，植也。气至而滋息为培。反而游散则覆。”栽：种植。培：加土施肥。倾者覆之：即将倾倒的，就让他倒下。即不能成材的就加以淘汰。覆：倾覆、摧败。

《诗》曰：‘嘉乐君子，宪宪令德。’

《诗经》上说：‘有美善而安乐的君王，光显他的美德。

《诗》：引自《诗经·大雅·假乐》篇的诗句。嘉乐（lè）：美而且乐。《诗经》原文作“假乐”。嘉：美善。君子：指王。宪宪：显明兴盛的样子。《诗经》原文作“显显”（显，光也）。令德：美德。令：美好。

宜民宜人，受禄于天。保佑命之，自天申之。’

使其民其人皆能得其宜。他从上天得到禄养，上天保佑他，给他天命，也不断重申天命。’

宜民宜人：其民和其人，都因君子的合德而得其宜。民：庶民。人：指在位的人。佑：助。命：天命之也。申之：重申其命。申：重申。言天命自天重复而降。

故大德者必受命。”

所以，有大德的人一定可以受到天命。”

受命：受天命为天子。

【精解】

舜的孝顺故事

舜很孝顺父母，《尚书·尧典》说他“父顽、母嚚（yín，愚蠢之意）、象（舜弟）傲，克（能）谐（和）以孝”。《孟子·万章上》对他的孝顺事迹，有生动的叙述：“大孝终身慕父母，五十而慕者，予于大舜见之矣。”《孟子·离娄上》说：“舜尽事亲之道，而瞽叟底豫（使至于乐也。豫，乐也），瞽叟底豫而天下化，瞽叟底豫而天下之为父子者定，此之为大孝。”

【修辞】

借代

富有“四海之内”：以四海之内的人与物，代指全中国。

以事物的所在地“借代”事物，语言和文词，都有此现象。

国语的“设筵请客”，闽南语的“办桌请你”，筵和桌是放置酒菜的处所，代替酒菜，就是这一类借代。尊称别人的母亲为“令堂”，借堂代母，也是母亲的所在地代母亲。国语以“正室”代元配，以“偏房”代小妾；闽南语以“家后”代妻，以“后巢”代后妻，也都是这一类借代法。在文辞上也常见这种借代，例如：“四海之内，皆兄弟也。”（《论语·颜渊》）“四海之内”借代“四海之内的人”。（董季棠《修辞析论》）（参本书《中庸》第十章“借代”）

【会通】

达尔文“适者生存”的印证

“栽者培之，倾者覆之”就是达尔文进化论所谓“适者生存”。母鸟喂食时，往往先喂叫得大声的，让强健的优先存活。果农往往减除弱枝或较小的果粒。都是此理。

尧舜传给大禹的心法

《尚书·大禹谟》记载着尧舜传给大禹的心法：“人心惟危，道心惟微，惟精惟一，允执厥中。”意思是：“现在人心易为私欲所蒙蔽，故危殆难安。道心又隐微难察，期盼你精纯专一。不偏不倚，无过与不及。”说的正是中庸之道。

第十八章　基业传承

子曰："无忧者，其惟文王乎！以王季为父，以武王为子，父作之，子述之。武王缵大王、王季、文王之绪。壹戎衣而有天下，身不失天下之显名。尊为天子，富有四海之内。宗庙飨之，子孙保之。

武王末受命，周公成文武之德，追王大王、王季，上祀先公以天子之礼。斯礼也，达乎诸侯、大夫，及士、庶人。父为大夫，子为士；葬以大夫，祭以士。父为士，子为大夫；葬以士，祭以大夫。期之丧达乎大夫，三年之丧达乎天子，父母之丧无贵贱一也。"

【语译】

孔子说："真正没有烦恼的人，大概只有文王了。王季是他的父亲，为他开创了基业；武王是他的儿子，继承遗志，完成统一大业。父亲启发了他，儿子又继承下去。武王继承了大王、王季和文王三代的余绪，消灭了大殷而获得天下；自身能保住显赫的盛名，就尊贵而言，他是天子，就富有而言，他拥有四海之内的疆土。有宗庙来祭祀他，又有子孙继承，守住他的德业。

武王晚年受天命而为天子。周公完成文王和武王的德业，追赠已死的大王和王季王号。以天子的礼节祭祀祖先。这种礼制，通行于诸侯、大夫及士、庶人各阶层中。由于父子的爵位往往不同，基本上就是按照儿子的爵位设祭。父亲是大夫，儿子是士，就以大夫的地位安葬，而以士的礼祭祀。父亲是士，儿子是大夫，就以士的地位安葬，而以大夫的礼祭祀。守一年的丧服，到大夫为止。三年的丧服则上至天子，同用一礼。这是因为父母之丧对任何阶层都是一样，没有贵贱的分别。”

【详注】

子曰：“无忧者，其惟文王乎！

孔子说：“真正没有烦恼的人，大概只有文王了。

忧：忧虑、愁苦。者：代词，指人或事物。在此即“的人”。另一说认为，“者”为语气词，用于主语后，引出判断。其：殆、大概，表示揣测。惟：仅、只有。

以王季为父，以武王为子，父作之，子述之。

王季是他的父亲，为他开创了基业；武王是他的儿子，继承遗志，完成统一大业。父亲启发了他，儿子又继承下去。

王季：姬季历，古公亶父的儿子，周文王的父亲。周武王灭纣后追赠王季。父作之：父亲王季为文王开创了基业。作：兴起、振作。述之：

指儿子武王继承文王的遗志，完成了统一天下的大业。述：继承、传承。

武王缵大王、王季、文王之绪。

武王继承了大王、王季和文王三代的余绪。

缵：承继、传承。大王：即“太（tài）王”，本名古公亶父，季历的父亲。他为了避开狄人的侵扰，迁居岐下，能得民心，奠定了周朝的基业。周武王灭纣后追赠太王。绪：前人未竟的功业。

壹戎衣而有天下，身不失天下之显名。

消灭了大殷而获得天下，自身能保住显赫的盛名，

壹戎衣：即“殪戎殷”，是“灭大殷”的意思。《尚书·康诰》有“殪戎殷，诞受厥命”之语。“壹”即是“殪”，“灭”的意思；“戎”是“大”；而“衣”原读如“殷”；所以“壹戎衣”即是“灭大殷”。劳思光指出：“《中庸》用‘一’字甚多（本章末即另有“一”字），皆不用‘壹’字代替，这个‘壹’字不应即‘一’字。那么，这个‘壹戎衣’解释为‘殪戎殷’还是较妥的。”身：自身。显名：显赫的名声。显：显赫。

尊为天子，富有四海之内。宗庙飨之，子孙保之。

就尊贵而言，他是天子，就富有而言，他拥有四海之内的疆土。有宗庙来祭祀他，又有子孙继承，守住他的德业。

武王末受命，周公成文武之德，

武王晚年受天命而为天子，周公完成文王和武王的德业。

末：晚年。成：完成。

追王大王、王季，上祀先公以天子之礼。

追赠已死的大王和王季王号，以天子的礼节祭祀祖先。

追王：对死者追赠王号。王（wàng）：作动词用，称王。上祀先公以天子之礼：以天子的礼节祭祀祖先。在祭祀时，要依主祭者的身份举行礼仪。周公以辅佐成王的代理天子身份“上祀先公”，所以实行天子之礼。祀：祭祀。先公：周在取得天下以前的历代祖先。他们是殷的诸侯，生时未为天子，所以称“先公”而不能称“先王”。

斯礼也，达乎诸侯、大夫，及士、庶人。

这种礼制，通行于诸侯、大夫及士、庶人各阶层中。

斯礼：这种礼制。指周公尊崇先公之礼，亦即按照子孙的爵位举行祭祀之礼。斯：指示代词，此、这个。达：通行。士：古代社会阶层之一，其位次于大夫。而在庶民之上，是有一定社会地位的知识分子。庶人：西周以后对农业生产者的称谓。西周时国君常以庶人赏赐臣下。春秋时，地位在士以下，工商皂隶之上。秦汉以后泛指无官爵的平民。

父为大夫，子为士；葬以大夫，祭以士。

父亲是大夫，儿子是士，就以大夫的地位安葬，而以士的礼祭祀。

父为士，子为大夫；葬以士，祭以大夫。

父亲是士，儿子是大夫，就以士的地位安葬，而以大夫的礼祭祀。

这是举例说明祭祀的规矩。父子的爵位往往不同，基本上就是按照儿子的爵位设祭。

期之丧达乎大夫，三年之丧达乎天子，父母之丧无贵贱一也。”

守一年的丧期，到大夫为止。三年的丧期则上至天子，同用一礼。这是因为父母之丧对任何阶层都是一样，没有贵贱的分别。

期之丧：即指一年的丧期。期（jī）：指期年，即一周年，这是说旁系亲属的礼制。丧：丧礼。达乎大夫：到大夫为止。“父母之丧无贵贱一也”：解释上面的话。三年之丧所以达乎天子，就因为父母之丧对任何阶层都是一样的。一也：一样。

【精解】

文王、武王、周公

文王，商末周族领袖，姬姓，名昌，商纣王时为西伯，亦称伯昌，曾被纣王囚禁于羑里（今河南汤阴北）七年（据说在此时写下《易经》的卦辞与爻辞）。先后攻灭黎、邘、崇等国，并建丰邑（今陕西西安市长安区沣河以西）为国都。在位五十年。他过世以后，儿子姬发顺天应人，伐纣成功，建立了周朝成为武王，他也被追封为文王。

武王，西周的建立者。姬姓，名发，他继承父亲文王的遗志，于公元前一〇四六年灭掉殷商，建立西周王朝，建都于镐（今陕西西安市长安区沣河以东），分封诸侯。

周公，姬姓，名旦，亦称“叔旦”。文王之子，武王之弟，因采邑在周，故称“周公”。曾助武王灭商。武王死，成王年幼，由其摄政。管叔、蔡叔、霍叔等不服，联合武庚和东方夷族反叛。他出师东征，平定反叛，大规模分封诸侯，并营建洛邑为东都。

又制礼作乐，建立典章制度，主张“明德慎罚”。孔子以周公为典范。

【修辞】

徐志摩以《中庸》为师?

这个例子，我们在《大学》第十章引用过，在此必须重复一次。徐志摩《我所知道的康桥》里有一句话：“静极了，这朝来水溶溶的大道！”

按照文法，应该是：“这朝来水溶溶的大道，静极了！”但为了修辞上的需要（强调静景之美），把形容词转变的述语“静”，倒装在主语“大道”的前面，成为倒装的句子。

像极了，这不就像《中庸》里的句子——“无忧者，其惟文王乎！”

由此可见，就修辞之美而言，《大学》与《中庸》都还很前卫呢！

【会通】

士的兴起

在周代，士本属贵族身份，到了春秋时，这一身份观念有了变化，凡是有道德有学问的，都可称为士，孔子便是新兴士集团中爬得最高的。士集团所以能兴起的原因，一是由于封建国家开始崩溃，有教养的贵族有一部分流落到民间；一是由于列国争霸，竞招人才，于是士的身价日高。自从孔子开始私人讲学以后，平民受教育的机会渐多，遂开辟社会流动的新通道，加速社会的流动。（韦政通《传统中国理想人格的分析》）

企业界的文王

由文王的创立基业，我想起就台湾企业来说，“无忧者，其惟戴胜益乎！”

戴胜益没修过管理学，却精通领导和组织行为。他说，宋朝宰相赵普以“半部《论语》治天下”，他则是用“半部《论语》创王品”。从创业过程到企业治理，他贯彻最彻底的，可能是“愿车马、衣裘与朋友共，蔽之而无憾”。这种慷慨大方的个性，制定干部入股、店铺盈余当月分享的制度，不但为他招来创业伙伴，也为王品吸引了优秀员工。道德是做人的原则，人才是企业的根本。孔子的弟子有子也说了，“君子务本，本立而道生”。戴胜益和王品的案例，不也是印证了回归基本，水到渠成的成功之道。

王品有四大经营理念：诚实、群力、创新、满意。

一、诚实：对人对事，以诚实为第一要务。对公司诚实、对同事诚实、对厂商诚实、对顾客诚实、对家人诚实。二、群力：群策群力，团队精神，发挥相乘的团队力量。确信在群体的激励之下，每一个人的潜能，才能发挥到极致。三、创新：创意无限，不守旧，敢于向传统挑战。不迷信、不陈腐。任何决定以客观数字作分析。四、满意：凡事要让顾客满意、让公司满意、让家人满意、让周围所有的人都满意。当然，也要自我满意。但此非自满，而是自谦。

细读上述理念，我倒认为，“王品”的企业文化比较贴近《大学》、《中庸》。因为四大理念中，“诚实”最为根本，但《论语》不讲，它正是《中庸》反复阐述的主题“诚”，而“满足”就是《大学》第六章的“自谦”。此外《大学》讲“日日新”、《中庸》讲“尽物之性”与“赞天地之化育”岂非“创新”？讲“九经”岂非上下一心，群策“群力”？

第十九章　慎终追远

子曰："武王、周公，其达孝矣乎！夫孝者，善继人之志，善述人之事者也。春秋修其祖庙，陈其宗器，设其裳衣，荐其时食。

宗庙之礼，所以序昭穆也；序爵，所以辨贵贱也；序事，所以辨贤也；旅酬下为上，所以逮贱也；燕毛，所以序齿也。

践其位，行其礼，奏其乐；敬其所尊，爱其所亲；事死如事生，事亡如事存，孝之至也。

郊社之礼，所以事上帝也；宗庙之礼，所以祀乎其先也。明乎郊社之礼、禘尝之义，治国其如示诸掌乎！"

【语译】

孔子说："武王和周公的孝行，可说是天下人公认的了。所谓孝顺的人，就是善于承继先人遗志，善于延续先人事业的人。四季祭祖前，先把祖宗的庙整修好。把祖先留下的祭器陈列出来。把祖先遗留的衣物摆设出来。献上应时当令的食物。

宗庙祭祀的礼仪，是为了分别左昭右穆的顺序。分别与祭者的爵位，是为了分辨贵贱。分别祭礼中各种职事，是为了分辨人的才能。祭后众人共饮时，由晚辈敬长辈，是为了使地位低的人能有机会见尊长。设宴请老者，是为了分别年龄的次序。

在祭礼中，登上先人站过的位子，跟先人行同样的礼，演奏先人用过的音乐。敬重先人所尊敬的人，爱护先人所亲爱的人（子孙臣民）。侍奉死去不久的先人如同他们还活着一样，侍奉已亡故的先人如同他们还存在一样。做到上述这些，就是达到孝顺的最高标准了。

祭祀天地的礼，是用来侍奉最高的神的。宗庙中的祭礼，是用来侍奉先人的。明白祭天地、祭祖先的礼仪的意义后，治理国家像掌上观纹一样容易。"

【详注】

子曰："武王、周公，其达孝矣乎！

孔子说："武王和周公的孝行，可说是天下人公认的了。

达孝：孝行被天下的人公认。其：可算是。达：通、至、普遍、达到。矣乎：语气词，"矣"表示陈述，相当于"了"。"乎"表示肯定，相当于"也"。夫（fú）：语气词，用于句首，以提示下文或对某事进行判断。

夫孝者，善继人之志，善述人之事者也。

所谓孝顺的人，就是善于承继先人遗志，善于延续先人事业的人。

善：擅长、善于。继：继承。人：指先人。志：志向，指遗志。述：传承、述：传承、延续。事：事业。朱注："周公成文武之德以追崇其先祖，此继志述事之大者也。下文又以其所制祭祀之礼，通于上下者言之。"

春秋修其祖庙，陈其宗器，设其裳衣，荐其时食。

四季祭祖前，先把祖宗的庙整修好。把祖先留下的祭器陈列出来。把祖先遗留的衣物摆设出来。献上应时当令的食物。

春秋：四季的代称。一般指祭祖（四季祭祀祖先）或祭社（春秋二季祭土地神）的日子。修：修葺。其：指孝者。祖庙：祖先的宗庙。陈：陈列。宗器：祭器。设：陈列、陈设。裳衣：祖先留下的衣物。荐：献。时食：四季当令的食物。

宗庙之礼，所以序昭穆也；

宗庙祭祀的礼仪，是为了分别左昭右穆的顺序。

序昭穆：宗庙祭祀，排列祖宗牌位次序，称左昭右穆，以始祖牌位居中，二世、四世、六世，位于始祖的左方，称"昭"；三世、五世、七世位于右方，称"穆"。这是为了分别长幼、亲疏。序：动词，排列次序。宗庙：帝王、诸侯或大夫、士祭祀祖宗的处所。礼：古代社会等级制的社会规范和道德规范。朱熹说："礼，制度品节也。"所以：用来。

序爵，所以辨贵贱也；

分别与祭者的爵位，是为了分辨贵贱。

序爵：祭祀者按官爵大小，以公、卿、大夫、士分为四等排列先人，称为序爵。

序事，所以辨贤也；

分别祭礼中各种职事，是为了分辨人的才能。

事：进行祭祀的职事。分别各种职务，可以分辨人之才能。

旅酬下为上，所以逮贱也；

祭后众人共饮时，由晚辈敬长辈，是为了使地位低的人能有机会见尊长。

旅酬：古代祭礼毕，便宴请众宾客，互相敬酒酬答，称为“旅酬”。旅：众人。酬：劝酒。下为上：陈檠说：“旅酬的礼，宾弟子和兄弟之子各举觯（zhì，饮酒器）奉献给尊长，子弟们自己先导饮，尊长然后饮。这样，卑下者饮酒反而在先，所以说‘下为上’。卑下者就是所谓‘贱’者，贱者饮酒，长者必酬饮，这就是所谓‘逮贱’了。”

燕毛，所以序齿也。

设宴请老者，是为了分别年龄长幼的次序。

燕毛：宴饮时，依毛发颜色分别长幼，安排坐次。燕：同“宴”，燕饮。毛：即“耄”，指老者，又指头发。“燕毛”是“宴老者”之意。齿：年龄。

践其位，行其礼，奏其乐；

在祭礼中，登上先人站过的位子，跟先人行同样的礼，演奏先人用过的音乐。

践其位：在祭礼中登上昔日先人之位。其：指先人（五个“其”字同义）。践：踏，站上、登。其位：指先王在世时所站的位子。行：举行。

敬其所尊，爱其所亲；

敬重先人所尊敬的人，爱护先人所亲爱的人（子孙臣民）。

尊：尊重、尊崇。亲：爱、宠爱、亲近的人。

事死如事生，事亡如事存，孝之至也。

侍奉死去不久的先人如同他们还活着一样，侍奉已亡故的先人如同他们还存在一样。做到上述这些，就是达到孝顺的最高标准了。

事：服事、侍奉。亡：亡灵。朱注："始死谓之死，既葬则曰反而亡焉，皆指先王也。"至：最、极。《论语·八佾》："祭如在，祭神如神在。子曰：'吾不与祭，如不祭。'"意思是：拜祭祖先时，要把他们当成还在面前一般祭拜。拜祭神明时，也好像有神在面前一般。孔子说："我如果没有亲自临祭，（即使有满桌供奉）也只如不祭。"

郊社之礼，所以事上帝也，

祭祀天地的礼，是用来侍奉最高的神的。

郊社：郊，指古代帝王在国都近郊，祭祀天地及其他神灵的祭礼。社，指祭祀土地神的节日。所以事上帝也：说天而没说地，是省文。上帝：天帝，即上天。

宗庙之礼，所以祀乎其先也。

宗庙中的祭礼，是用来侍奉先人的。

祀：祭祀。其先：其先人。

明乎郊社之礼、禘尝之义，治国其如示诸掌乎！"

明白祭天地、祭祖先的礼仪的意义后，治理国家像掌上观物一样容易。

禘：天子宗庙之祭，春曰禴（yào），夏曰禘，秋曰尝，冬曰烝。在此以禘尝为代表四季祭礼。示诸掌：容易看见。示：有二解（1）通

“视”，看的意思。（2）郑玄注读作“寘”，同“置”。诸：等于“之于”。乎：语气词，相当于“呢”、“吧”。

【修辞】

省略

朱注：“郊，祀天。社，祭地。不言后土者，省文也。”“省文”就是我们现在所说的“省略”或“脱略”。（参本书《大学》第八章“省略”）

互文

朱注：“禘，天子宗庙之大祭，追祭太祖之所自出于太庙，而以太祖配之也。尝，秋祭也。四时皆祭，举其一耳。礼必有义，对举之，互文也。”

“互文”是一种通过省略以达到精炼文辞的表达手法。（参本书《大学》第三章“互文”）

【会通】

文、武、周公的孝行

《礼记·文王世子》：“文王为世子，朝于王季日三。鸡初鸣而衣服，至于寝门外，问内竖之御者曰，今日安否？内竖曰，安，文王乃喜。日中，又至，亦如之；及暮又至，亦如之。”“文王有疾，武王不脱冠带而养，文王一饭，亦一饭；文王再饭，亦再饭。”

第二十章　治国大法

20-1（为政在人）

哀公问政。子曰："文武之政，布在方策。其人存，则其政举；其人亡，则其政息。人道敏政，地道敏树。夫政也者，蒲卢也。

故为政在人，取人以身，修身以道，修道以仁。仁者，人也，亲亲为大；义者，宜也，尊贤为大；亲亲之杀，尊贤之等，礼所生也。

故君子不可以不修身；思修身，不可以不事亲；思事亲，不可以不知人；思知人，不可以不知天。"

【语译】

鲁哀公向孔子请教如何治理国家。孔子说："周文王和周武王的政策和法令，都明白记载于木版和竹简中。当英明的君主还存在时，他的政策就得以有效贯彻。一旦他们离开人间，政策也就废弛消失了。经营众人之事，就要勤于政务，耕种土地就要勤于种植。施政犹如种植蒲苇一样，极容易见到成效。

所以，从事政治事务的成败关键，取决于贤能的人才。选拔人才要凭借他自身的修养。要修养自身就要遵循普遍的正道。要遵循普遍的正道，就要国君有仁爱之心。所谓仁，是合于人性的表现，其中以亲爱自己的亲人为最重要；所谓义，是合于宜的表现，其中以尊重贤人最为重要。亲爱亲人有亲疏的差别，尊重贤人也有高下的等级，因而有‘礼仪’的产生。

“所以，君子不可以不自修其德；想要自修其德，就不可以不好好地侍奉父母；想要好好地侍奉父母，就不可以不了解人的本性；要想明白人的本性，就不可以不明白最高的天命。”

【详注】

哀公问政。

鲁哀公向孔子请教如何治理国家。

哀公：春秋诸侯鲁国第二十六任君主（公元前四九四—前四六八年在位），是鲁定公的儿子。姬姓，名将（一作蒋）。曾任用孔子为司寇和代理宰相。后来，哀公被赶走，流亡在其他诸侯国。哀公是他的谥号。问政：询问为政的道理。政：政治。（孙中山先生说：“政就是众人的事，治就是管理。管理众人的事，便是政治。”）

子曰：“文武之政，布在方策。

孔子说：“周文王和周武王的政策和法令，都明白地记载于木版和竹简中。

布：（1）陈述、记载。（2）散布。方策：指书籍。方：木版。策：

同“册”，即竹简编起来的书籍。古代无纸，以木版竹简记事记言。

其人存，则其政举；其人亡，则其政息。

当英明的君主还存在时，他的政策就得以有效贯彻。一旦他们离开人间，政策也就废弛消失了。

其人：贤人，指能努力维护礼制并严格按照礼制办事的人。存：存在、生存。举：兴起、确立、建树。亡：不在。息：消失、停止。这里是政治不修的意思。古代以人治为主，实施文武之政的先人在位，文武的政教仍然可以继续不变。朱注：“有是君，有是臣，则有是政矣。”劳思光指出：“这是说政事因人而有。有善人便有善政，无善人便无善政。这种思想即是轻视制度而重视圣贤人格之领导的中国传统思想。”（《大学中庸译注》）今日虽重法治，仍然不免有类似情况。

人道敏政，地道敏树。夫政也者，蒲卢也。

经营众人之事，就要勤于政务，耕种土地就要勤于种植（树木）。施政犹如种植蒲苇一样，极容易见到成效。

人道：中国古代哲学中，与“天道”相对的概念。指以人施政的道理。也指人君之道。道：功用。敏：勤勉、努力、疾速。地道敏树：土地的功用可以使种植的东西迅速成长。树：种植之意。夫（fú）：句首助词。蒲卢：即“蒲苇”。因芦苇容易生长，所以譬喻君子从政，如能得到贤臣会很快成功。应上文“敏政”之语。

故为政在人，取人以身，修身以道，修道以仁。

所以，从事政治事务的成败关键，取决于贤能的人才（得到贤臣）。选拔人才要凭借他自身的修养（能以身作则，有号召力，以德服人）。要修养自身就要遵循普遍的正道。要遵循普遍的正道，就要国君有仁爱之心。

取：选择。人：指贤臣。身：君王之身，指君王自己的修养。道：天下之达道。

仁者，人也，亲亲为大；

所谓仁，是合于人性的表现，其中以亲爱自己的亲人为最重要。

亲亲为大：亲爱自己的亲人为最重要。第一个“亲”字是动词，指“亲爱”；第二个“亲”字是名词，指“亲人”。

义者，宜也，尊贤为大；

所谓义，是合于宜的表现，其中以尊重贤人最为重要。

宜：合宜、合理。朱注：“分别事理，各有所宜也。”尊贤：尊重贤人。

亲亲之杀，尊贤之等，礼所生也。

亲爱亲人有亲疏的差别，尊重贤人也有高下的等级，（由于这种分辨安排仁与义的实践方式）因而有‘礼仪’的产生。

杀（shài）：等差。等：等级，指公、卿、大夫等爵位的不同。

故君子不可以不修身；思修身，不可以不事亲；

所以，君子不可以不自修其德；想要自修其德，就不可以不好好地侍奉父母。

思：想要。事亲：侍奉父母。

思事亲，不可以不知人；

想要好好地侍奉父母，就不可以不了解人的本性。

“知人”：指了解人性。朱子认为，要尽心孝顺父母，就要先懂得敬老尊贤。蒋伯潜补充说，“也要选择品行端正的朋友，来辅助自己行仁。”所以一定要了解人性。此外，父母也是人，也有喜怒哀乐，所以要善事父母，进退得宜，就要懂得人性的根本道理。

思知人，不可以不知天。”

要想明白人的本性，就不可以不明白最高的天命。”

第一章说“天命之谓性”，人性来自天命。所以要了解人性，就要了解天理。朱注：“亲亲之杀，尊贤之等，皆天理也，故又当知天。”

【修辞】

层递

“故为政在人，取人以身，修身以道，修道以仁。”这是使用“层递”的修辞技巧。（参本书《大学》“经文”章第一节“排比兼层递”）

类叠＋层递

“故君子不可以不修身；思修身，不可以不事亲；思事亲，不可以不知人；思知人，不可以不知天。”这是以“思……不可以不……”的“类叠”。（参本书《大学》第七章）

这种隔离类叠的字，好像一种粘着剂，把许多词粘在一起，把许多短语粘在一起，造成同时涌现的现象，而以多取胜。又把许多句子粘在一起，造成层递的现象。

（参本书《大学》“经文”章第一节“排比兼层递”）

20-2（永恒常道）

“天下之达道五，所以行之者三。曰：君臣也，父子也，夫妇也，昆弟也，朋友之交也。五者，天下之达道也。知、仁、勇三者，天下之达德也，所以行之者，一也。”

【语译】

“全天下的人都要遵循的道路有五条，而实行时所应具有的德行有三种。五达道就是：君臣关系、父子关系、夫妇关系、兄弟关系、朋友关系。这五条道路是全天下的人都要遵循的。三达德就是：知、仁、勇三者，是天下人实行五达道时所应具的德性。这三种德性都要本着真诚的原则去实践。”

【详注】

“天下之达道五，所以行之者三。

“全天下的人都要遵循的道路有五条，而实行时所应具有的德性有三种。

达道：全人类都要遵行的道路、永不变易的道理，即“常道”。达：通。（又第一章：“和也者，天下之达道。”）所以行之者：用来实践五达道的方法。所以：用以、用来。之：指五达道。

曰：君臣也，父子也，夫妇也，昆弟也，朋友之交也。

五达道就是：君臣关系、父子关系、夫妇关系、兄弟关系、朋友关系。

昆弟：兄弟，也包括堂兄堂弟。昆：兄。

五者，天下之达道也。

这五条道路是全天下的人都要遵循的。

知、仁、勇三者，天下之达德也，

三达德就是：知、仁、勇三者，是天下人实行五达道时所应具的德行。

所以行之者，一也。"

这三种德性都要本着真诚的原则去实践。"

一也：一样。朱子认为：三达德的实践，都要本着一个"诚"的原则，本着真诚去实践。如果不诚，前面所说的大道理都是空的。"一"字也可能是多余的衍文。

【会通】

第六伦

五达道，就是五种人人都要实践的五种常道，也就是孟子所说的"五伦"："父子有亲，君臣有义，夫妇有别，长幼有序，朋友有信。"孟子所说的"长幼"比"昆弟"较为广泛周延。民主时代已无所谓"君臣"，但国民仍要忠于国家，部属仍要忠于主管或上司，这也是广义的君臣关系。

李国鼎曾率先提出属于群己规范的“第六伦”，希望建立更和谐的社会。他认为中国传统伦常关系的“五伦”都属于自己亲近的人，故也称“五常”。此外与其他人，则被摒弃于道德门外，事不关己，置若罔闻。因此他建议倡导“第六伦”，俾树立起新社会的“群己关系”，以促进国家步入现代化。中国社会结构以家庭为主，向重私德，而轻忽公德。李氏提倡“第六伦”旨在激励国人发挥公德心，实属高瞻远瞩。我的好友邓佩瑜是“群我伦理促进会”秘书长，她长期投入倡导群我伦理、社会公德的社教工作迄今，任劳任怨，勇往直前，令人感佩。

社会的接合剂：五伦

伦之义为类、为比、为序、为等。类而相比，等而相序。人生不能无群，有群必有伦。人际关系，种类繁杂，而五伦是其纲本。一纲举，万目张；一本立，万事理。《中庸》称五伦曰“达道”，所谓达道，乃人人共由之道。人际关系，看来千头万绪，却不外乎父子、君臣、夫妇、兄弟、朋友五种基本关系，以亲、义、别、序、信为其互动之定则，彼此协调无间，以发挥人伦之功能，于是社会秩序井然不乱。英国人类学家浮斯（R. Firth）称我国五伦为“社会接合剂”（social cement），将个人的手段与社会的目的联结起来。研究中国民族性颇受称道的我国学者许烺光，谓中国的社会结构以家庭为基础。家庭内的父子关系是主轴，其他各种关系均以此为中心。父子关系不但在家庭内发生作用，而且扩及宗族，乃至于国家。中国古代的君臣关系，实是父子关系的投射。由于中国社会背景所孕育，中国人的性格因素首先是服从权威和长上（父子关系的扩大），再则是各守本分。生存于中国家族组织之下，人各有其地位和关系。在此种关系网络中，个人不必也不能表现他自己的才能，所以中国人的性格又是保守的和不喜欢变迁的，不鼓励个人主义。再进而言之，由于个人始终生活于宗族圈中，因此养成一种相对的宇宙观，此即通常所谓之中庸态度。（朱岑楼《从社会个人与文化的关系论中国人性格的耻感取向》，引自《中国人的性格》第 110 页）

20-3（目标导向）

“或生而知之，或学而知之，或困而知之，及其知之，一也。或安而行之，或利而行之，或勉强而行之，及其成功，一也。”

子曰：“好学近乎知，力行近乎仁，知耻近乎勇。知斯三者，则知所以修身；知所以修身，则知所以治人；知所以治人，则知所以治天下国家矣。”

【语译】

“这一些道理，有的人生下来，不经学习就知道，有的人经过学习才知道，有的人要经过长期困惑苦学以后才知道。但是，等到知道了，结果却都是一样的；这些道理，有的人能安然自在、毫无勉强地去实行，有的人为了荣名利益才去实行，有的人必须费很大气力或勉强自己才能实行，可是，等到成功时，结果都是一样的。”

孔子说：“爱好学习就跟‘智’接近了，努力实践就跟‘仁’接近了，懂得羞耻就跟‘勇’接近了。知道这三点，就知道怎样修养自身；知道怎样修养自身，就知道怎样治理众人；知道怎样治理众人，就知道怎样治理天下国家了。”

【详注】

“或生而知之，或学而知之，或困而知之，及其知之，一也。

“这一些道理，有的人生下来，不经学习就知道，有的人经过学习才知道，有的人要经过长期困惑苦学以后才知道。但是，等到知道了，结果却都是一样的。

或生而知之：有的人生下来就懂得它。即不学而知。或：有、有人。之：第三人称代词，这一小节的四个“之”，都指上面的五达道与三达德。后面的三个“行之”的对象也是五达道与三达德。学：学习。困而知之：经过长期困惑苦学以后知晓道理。及其知之一也：等到学会了（这些道理）结果都是一样的（过程也就不重要了）。及：介词，表示动作的时间。即“待”、“等到”。其：代名词，就是“他”或“他们”。

或安而行之，或利而行之，或勉强而行之，及其成功，一也。”

这些道理，有的人能安然自在、毫无勉强地去实行，有的人为了荣名利益才去实行，有的人必须费很大气力或勉强自己才能实行，可是，等到成功时，结果都是一样的。”

安而行之：动机真纯，安然自在，毫无勉强地实践。安：无所求为。利而行之：为荣名利益而行。“勉强”：(1) 谓力不足，或心不愿，努力行之也。(2) 畏惧罪恶，勉励自强而行。成功：获得预期的结果。

子曰：“好学近乎知，力行近乎仁，知耻近乎勇。

孔子说：“爱好学习就跟‘智’接近了，努力实践就跟‘仁’接近了，懂得羞耻就跟‘勇’接近了。

“子曰”：第二十章，除开头“哀公问政”四字，其余都是孔子的回答。所以朱熹认为“子曰”二字是多余的衍文。但也有人拿这两个字来证明，第二十章的文字有多种来源。近乎：差不多。近：接近。乎：介词，相当于“于”。一般用于“比”、“近”、“异”之后，表示“比……”、“跟……相比……”。力行：努力从事。知耻：有羞耻心。朱注：“此言未及乎达德而求以入德之事。通上文三知为知，三行为仁，则此三近者，勇之次也。吕氏曰：‘愚者自是而不求，自私者殉人欲而忘反，懦者甘为人下而不辞。故好学非知，然足以破愚；力行非仁，然足以忘私；知耻非勇，然足以起懦。’”

知斯三者，则知所以修身；知所以修身，则知所以治人；

知道这三点，就知道怎样修养自身；知道怎样修养自身，就知道怎样治理众人。

斯三者：指上述好学、力行、知耻。斯：指示代词。此、这。

知所以治人，则知所以治天下国家矣。”

知道怎样治理众人，就知道怎样治理天下国家了。”

治人：管理众人。朱注："人者，对己之称。天下国家，则尽乎人矣。言此以结上文修身之意，起下文九经之端也。"

【精解】

知耻

即羞耻心，或"耻感"。是基于对善的把握而对照自身不道德行为所产生的一种自我意识和道德情感。表现为无颜以对、无地自容、羞愧难当。是人所特有的一种基本的人格意识和祛恶向善的内驱力。自古以来，尤其是中国古代思想家十分重视对"知耻"的论述和倡导。管子将"耻"纳入"国之四维"（礼、义、廉、耻），孔子强调"行己有耻"（《论语·子路》），孟子认为"人不可以无耻"（《孟子·尽心》），"无羞耻之心，非人也"（《孟子·公孙丑》），人唯有知耻才可教、向善。（引自《辞海》）

【修辞】

复式层递

"或生而知之，或学而知之，或困而知之，及其知之，一也；或安而行之，或利而行之，或勉强而行之，及其成功，一也。"这是把两种性质相对的层递并列起来，是复式层递中的并立式。（参本书《大学》"经文"章第一节"排比兼层递"）

排比

"好学近乎知，力行近乎仁，知耻近乎勇。"三个语句，结构相同，语气一致，逐一排列。（参本书《大学》“经文”章第一节“排比”）

类叠

“知斯三者，则知所以修身；知所以修身，则知所以治人；知所以治人，则知所以治天下国家矣。”重复使用“知所以”五次。（参本书《大学》第十章“类叠”）

层递

上例“知斯三者，则知……”由三达德到修身，到治人，最后治天下国家，是一种“层递”式的修辞法。（参本书《大学》“经文”章第一节“层递”）

20-4（治国九经）

“凡为天下国家有九经，曰：修身也，尊贤也，亲亲也，敬大臣也，体群臣也，子庶民也，来百工也，柔远人也，怀诸侯也。

修身则道立，尊贤则不惑，亲亲则诸父昆弟不怨，敬大臣则不眩，体群臣则士之报礼重，子庶民则百姓劝，来百工则财用足，柔远人则四方归之，怀诸侯则天下畏之。

齐明盛服，非礼不动，所以修身也；去谗远色，贱货而贵德，所以劝贤也；尊其位，重其禄，同其好恶，所以劝亲亲也；官盛任使，所以劝大臣也；忠信重禄，所以劝士也；时使薄敛，所以劝百姓也；日省月试，既禀称事，所以劝百工也；送往迎来，嘉善而矜不能，所以柔远人也；继绝世，举废国，治乱持危，朝聘以时，厚往而薄来，所以怀诸侯也。凡为天下国家有九经，所以行之者，一也。”

【语译】

“凡是要治理天下国家，有九种常行不变的准则（或九大原则），即是：

修养自身言行，尊重贤能的人，亲爱亲族的人，礼敬大臣，体恤小臣，爱民如子，慰劳安抚各种工匠，厚待远来的人，和安抚诸侯。

修养身心，人生的方向和目标就能确立，可以为民表率。能够尊重贤能的人，就能明白道理而不疑惑；能够亲爱亲族的人，宗族中的伯叔父和兄弟，就不会抱怨；能够礼敬公卿大臣，就不会迷乱，遇事不知所措；能够体恤中下级臣子，士大夫阶级就会尽力回报国君的礼遇；能够爱民如子，老百姓就会受到鼓舞，勉力向善。慰劳安抚各种工匠，就会有充分的财物供应；能够厚待远来的人，就会有四方的民众来归；能够安抚诸侯，就会使天下各国畏服于他。

斋戒沐浴，穿戴庄重整洁，不合于礼仪的不随便行动，这样就可以修养言行。不轻信小人的谗言，远离阿谀和谄媚，轻视聚敛财物的部属而重视品德高尚的部属，这样就可以鼓励贤人。尊重家臣的爵位，给他们丰厚的俸禄，对事情的态度和他们求同，这是勉励亲人相亲的方法。官威盛大，有更多的下属可以差遣，这样就可以鼓励大臣。诚心对待，充分信任，给予丰厚的待遇，如此就可以鼓励基层官吏。

在适当时机使用民力，征收很轻的租税，以达成勉励百姓的目的。每天考察工作情形，每月考核工作成效，给予的俸禄和职位与成效相当，就可以激励百工。

护送回到远方的人，迎接由远方来的人，赞美人家的长处，同情人家的短处，可以达到安抚外族或外国人的目的。延续世系已绝的诸侯，振兴政事已废的国家。平定乱事，扶持陷入危急的国家，按时举行朝聘之礼。赏赐诸侯要优厚，收受贡品要减少，可以达到安抚诸侯的目的。凡是治理天下国家的人，都要遵循上述九种常行不变的法则，而这些法则虽然因为涉及的人不同，而有不同的内涵，但都要本着一个相同的原则去实践，那就是‘诚’。”

【详注】

“凡为天下国家有九经，

“凡是要治理天下国家，有九种常行不变的准则（或九大原则）。

为（wèi）：治理。天下国家：古代“天子有天下，诸侯有国，大夫有家”，但此处的“天下国家”四字连用，是对“天子”的角色和挑战而言。九经：九种不变的准则（或九大原则）。这是本书谈治理国家的重点。经：常规、常行不变的法则。经也是织布时所织的主线，所以也有“纲领”之意。九经，即是九条不变的大纲领。

曰：修身也，尊贤也，亲亲也，

即是：修养自身言行，尊重贤能的人，亲爱亲族的人，

修身：修养身心，以提高自己的品德。劳思光说：这是以自己修德为第一纲领；可看出“中庸”思想与《大学》的关系。尊贤：尊重贤能的人。贤：才能、德行好。亲亲：亲爱亲族的人。与上文“亲亲为大”意思相通。

敬大臣也，体群臣也，子庶民也，

礼敬大臣，体恤小臣，爱民如子。

体：体恤、爱护。敬：尊重。大臣：指卿相。群臣：指小臣。子庶民：以庶民为子，爱民如子。子：动词。庶民：百姓。

来百工也，柔远人也，怀诸侯也。

慰劳安抚各种工匠，厚待远来的人，和安抚诸侯。

来百工：劝勉各种工匠。来（lài）：同“徕”，慰劳、安抚。百工：各种工匠。百工是西周时对工奴的总称，春秋时沿用此称，并作为各种工匠的总称。柔远人：厚待远来的人（大部分是商人）。柔：怀柔、安抚。引申为优待。怀诸侯：安抚诸侯。怀：安抚、包容。诸侯：西周、春秋时分封的各国国君。规定要服从王命，定期朝贡述职，同时有出军赋与服役的义务。按理其所属上卿应由天子任命。但他们世袭占有封地及其居民，在其封疆内，世代掌握统治大权。

修身则道立，尊贤则不惑，亲亲则诸父昆弟不怨，

修养身心，人生的方向和目标就能确立，可以为民表率。能够尊重贤能的人，就能明白道理而不疑惑；能够亲爱亲族的人，

宗族中的伯叔父和兄弟，就不会抱怨。

道立：人生的方向和目标就能确立，可以为民表率。不惑：明白道理而不疑惑。（不会被奸臣、小人迷惑）诸父：宗族中与父亲同辈的人，即伯叔父。

敬大臣则不眩，体群臣则士之报礼重，子庶民则百姓劝，

能够礼敬公卿大臣，（事有所托）就不会迷乱，遇事不知所措；能够体恤中下级臣子，士大夫阶级就会尽力回报国君的礼遇；能够爱民如子，老百姓就会受到鼓舞，勉力向善。

不眩：不迷乱。眩：迷乱昏眩。朱注："不眩，谓不迷于事。敬大臣则信任专，而小臣不得以间之，故临事而不眩也。"士：泛称居官受禄的人。这里兼指大臣以外的诸臣。劝：鼓励、奖励。

来百工则财用足，柔远人则四方归之，怀诸侯则天下畏之。

慰劳安抚各种工匠（则会努力生产），就会有充分的财物供应；能够厚待远来的人，就会有四方的民众来归；能够安抚诸侯，就会使天下各国畏服于他。

财用足：朱注："来百工则通功易事，农末相资，故财用足。"归：归附、趋向。畏：畏服。

齐明盛服，非礼不动，所以修身也；

斋戒沐浴，穿戴庄重整洁，不合于礼仪的不随便行动，这样就可以修养言行。

齐明盛服：斋戒清洁，端正服饰。齐（zhāi）：通"斋"，斋戒。先行斋戒沐浴，然后穿着华美的衣服隆重祭祀。古人在隆重典礼（如祭祀）

前，要先斋戒。明：洁净。盛服：华美衣服。所以：用以、用来。

去谗远色，贱货而贵德，所以劝贤也；

不轻信小人的谗言，远离阿谀和谄媚，轻视聚敛财物的部属而重视品德高尚的部属，这样就可以鼓励贤人。

谗：谗言，说别人的坏话。远（yuàn）：远离。贱：轻视。货：财物商品。劳思光说：这是用“远小人”的意思来反衬“尊贤”。“去谗”是斥退那些喜欢进谗言的小人；“远色”是不接近那些嬖幸之臣；“贱货”是轻视那些聚敛之臣；小人主要是以谗言、声色与财货来迷惑君上；为君者能不为三者所惑，而独尊重德行，则可以勉励贤人进取。自此句以下，几个“劝”字都是“劝勉”之意。

尊其位，重其禄，同其好恶，所以劝亲亲也；

尊重家臣的爵位，给他们丰厚的俸禄，对事情的态度和他们求同，这是勉励亲人相亲的方法。

尊其位：尊重他们的爵位（一说：封以尊贵的爵位）。禄：俸禄。同其好恶：体谅他们的好恶态度，求得一致的价值观。

官盛任使，所以劝大臣也；

官威盛大，有更多的下属可以差遣（不必为细节操心），这样就可以鼓励大臣。

盛：众多、盛大。任：听凭、听任。使：支配、使用。

忠信重禄，所以劝士也；

诚心对待，充分信任，给予丰厚的待遇，如此就可以鼓励基层官吏。

忠信重禄：待之以至诚，养之以厚禄。士：参第十八章。《礼记·王制》："诸侯之尚大夫卿、下大夫、上士、中士、下士，凡五等。"士也是官吏的通称。朱注："忠信重禄，谓待之诚而养之厚，盖以身体之，而知其所赖乎上者如此也。"

时使薄敛，所以劝百姓也；

在适当时机使用民力，征收很轻的租税，以达成勉励百姓的目的。

时使：在适宜之时使用民力。时：时机。使：支配、使用。薄敛：减轻赋税。薄：轻、少。敛：收取租税。

日省月试，既禀称事，所以劝百工也；

每天考察工作情形，每月考核工作成效，给予的俸禄和职位与成效相当，就可以激励百工。

日省月试：每天视察工作情形，每月考核其工作成效。省（xǐng）：考察、视。试：考验。既禀称事：按照职务高低和工作绩效，发给相称的俸禄。既（xì）：通"饩"，谷物。禀（lǐn）：通"廪"，谷仓。既禀，就是由官方发给粮食。称（chèng）：适合、相当。事：官职、职务。

送往迎来，嘉善而矜不能，所以柔远人也；

护送回到远方的人，迎接由远方来的人，赞美人家的长处，同情人家的短处，可以达到安抚外族或外国人的目的；

送往迎来：朱注："往则为之授节以送之，来则丰其委积以迎之。嘉善而矜不能：奖励善人，怜恤无才能的人。嘉：赞美。善：擅长。矜：

同情、哀怜。能：能够、胜任。远人：远方的人、关系疏远的人。指外族人或外国人。柔：安抚。

继绝世，举废国，治乱持危，朝聘以时，

延续世系已绝的诸侯，振兴政事已废的国家。平定乱事，扶持陷入危急的国家，按时举行朝聘之礼。

继绝世：对世系已中断，无人祭祀的家族，为他们立后，仍得享祀。举废国：复兴已经废灭的邦国。

持：支撑、扶助。危：危急、危险。朝：诸侯觐（jìn）见天子。聘：诸侯派大夫来贡献。古代礼制，比年（年年。比，bì）一小聘，三年一大聘，五年一朝。

厚往而薄来，所以怀诸侯也。

赏赐诸侯要优厚，收受贡品要减少，可以达到安抚诸侯的目的。

薄：少。怀：安抚。

凡为天下国家有九经，所以行之者，一也。”

凡是治理天下国家的人，都要遵循上述九种常行不变的法则，而这些法则虽然因为涉及的人不同，而有不同的内涵，但都要本着一个相同的原则去实践，那就是‘诚’。”

凡：凡是、一切，为概括之词。为：治理。一：相同、一致。

【精解】

外王以内圣为基础

既然政治（“政”）被理解为一个“正”的过程，则治国的艺术或方法便可以视为道德教育的扩展。用现代语言来说就是：政治的人化是以外王需要内圣这一信念为基础的。为了使王道流行，就必须遵循圣人之道。因此，治理国家的九项原理（“九经”）应被理解为形成信赖社会的前后相续的九个步骤。（杜维明《中庸洞见》第 71 页）

【修辞】

排比：“九经”就是九大要点，本节分别并列申论，是“排比”的修辞方式。（参本书《大学》“经文”章第一节）

类叠

“修身也，尊贤也，亲亲也，敬大臣也，体群臣也，子庶民也，来百工也，柔远人也，怀诸侯也。”九个“也”字隔离重复使用，可以加强语气，使行文有节奏感，这种修辞法，叫作“类叠”，因重复的只有一个字，又称“类字”。（参本书《大学》第十章“类叠”）

类叠

本章以九个“……所以……也”的相同句型，将一大段文字统一起来。这是一种“类叠”修辞法。（参《大学》第七章“类叠”）

20-5（准备原则）

“凡事豫则立，不豫则废。言前定，则不跲；事前定，则不困；行前定，则不疚；道前定，则不穷。”

【语译】

“任何事情只要有充分准备，就可以成功，没有准备，就会失败。言语先考虑清楚，做好准备，知道该怎么说，就不会受阻而不通畅，或词穷理屈。做事以前，先做好研究，了解问题所在，就不会陷入困难，行动之前先考虑清楚，就不会后悔，走路事先把路线规划清楚，就不会走不通。”

【详注】

“凡事豫则立，不豫则废。

“任何事情只要有充分准备，就可以成功；没有准备，就会失败。

凡事：任何事情。这里特别指前面所讲的五达道、三达德、九大原则（九经）。豫：通“预”，预备、事先准备。立：成就。废：停止、失败。

言前定，则不跲；事前定，则不困；

言语先考虑清楚，做好准备，知道该怎么说，就不会受阻而不通畅，或词穷理屈；做事以前，先做好研究，了解问题所在，就不会陷入困难。

定：决定、使确定。跲（jiá）：绊倒，形容言语受阻而不通畅。困：陷在艰难困苦里，或受环境、条件等因素限制住。

行前定，则不疚；道前定，则不穷。"

行动之前先考虑清楚，就不会后悔；走路事先把路线规划清楚，就不会走不通。"

疚：惭愧后悔。穷：终极、尽头。路走不通还不是最糟糕的事，有一对夫妇开汽车出游，他们路不熟，太过依赖卫星导航系统，竟然把车子开到海里去了。如果他们能够"道前定"，查察地图，辨明方位，就不致过度依赖导航系统了。

【修辞】

类叠

"言前定则不跲，事前定则不困，行前定则不疚，道前定则不穷。"四个"前定则……"间隔出现，可以加强语势、突出重点。（参本书《大学》第七章"类叠"）

20-6（真诚明善）

"在下位不获乎上，民不可得而治矣；获乎上有道，不信乎朋友，不获乎上矣；信乎朋友有道，不顺乎亲，不信乎朋友矣；顺乎亲有道，反诸身不诚，不顺乎亲矣；诚身有道：不明乎善，不诚乎身矣。"

【语译】

“职位较低的人，如果没有获得上级的信任和支持，就无法管理百姓了。要得到上级的信任，有一定的方法；不能获得朋友（或同僚）的信任，便不能获得上级的信任；要获得朋友（或同僚）的信任，有一定的方法，不能孝顺父母，便不能得到朋友的信任；要孝顺父母，有一定的方法，不能诚实反省自己，就不能孝顺父母。要使自己诚实反省，有一定的方法，不明白本性的善，就不能诚实反省了。”

【详注】

“在下位不获乎上，民不可得而治矣；

“职位较低的人，如果没有获得上级的信任和支持，就无法管理百姓了。

下位：位居于下，即官职卑微。获：取得、得到。乎：相当于“于”。上：尊长或在上位（高位、高官）的人。

获乎上有道，不信乎朋友，不获乎上矣；

要得到上级的信任，有一定的方法；不能获得朋友（或同事）的信任，便不能获得上级的信任。

道：方法、道理。信：相信、信任。朋友：同师同道之人、群臣。郑玄注：“同师曰朋，同志曰友。”也泛称相交友好的人。另，朋友也指群臣，也解释得通。从现代人角度，此说可解为“同事”。

信乎朋友有道，不顺乎亲，不信乎朋友矣；

要获得朋友（或同事）的信任，有一定的方法，不能孝顺父母，便不能得到朋友的信任。

顺：顺从、和顺、柔爱。顺从父母的心意。

顺乎亲有道，反诸身不诚，不顺乎亲矣；

要孝顺父母，有一定的方法，不能诚实反省自己，就不能孝顺父母。

反：反省。诸："之于"二字的合音。"之"是代词，"于"是介词。

诚身有道，不明乎善，不诚乎身矣。"

要使自己诚实反省，有一定的方法，不明白本性的善，就不能诚实反省了。"

自己要能对自己真诚（即"毋自欺"），必须先有价值上的觉悟（即"明乎善"）。

【修辞】

后退式层递

本节的文字很有规律，其内容属层递中的后退式。（参本书《大学》"经文"章第一节"排比兼层递"）

20-7（择善固执）

"诚者，天之道也；诚之者，人之道也。诚者不勉而中，不思而得，从容中道，圣人也。诚之者，择善而固执之者也。"

【语译】

“所谓‘诚’，就是天道运行的原理，它的本质是真诚的。所谓‘对诚的追求’，就是人的正确道路。依据天理实践，不须勉强而达到目标，未经思考而领悟真理，从容自在就合乎正道，圣人的表现就是这样啊。所谓‘对诚的追求’，就是选择走正路、做正确的事，而且坚持不懈。”

【详注】

“诚者，天之道也；诚之者，人之道也。”

所谓‘诚’，就是天道运行的原理，它的本质是真诚的。所谓‘对诚的追求’，就是人的正确道路。

诚：天理，天道的本来面目。朱注：“诚者，真实无妄之谓，天理之本然也。”陈立夫说：“宇宙即为时空，系由一种动能发生恒久作用，称之曰‘诚’。”(《四书道贯》) 者：人或事物的代称。这里指“诚”。天：指天地万物，也就是整个自然界、整个宇宙。道：途径、道理。诚之：对“诚”的追求。人未能真实无妄，但可以透过学习修炼达到真实无妄。朱注：“诚之者，未能真实无妄，而欲其真实无妄之谓。”

诚者不勉而中，不思而得，从容中道，圣人也。

依据天理实践，不须勉强而达到目标，未经思考而领悟真理，从容自在就合乎正道，圣人的表现就是这样啊。

勉：勉强、努力。中（zhòng）：合乎标准，恰到好处。从容：舒缓悠闲的样子。

诚之者，择善而固执之者也。

所谓‘对诚的追求’，就是选择走正路、做正确的事，而且坚持不变。”

择善固执：选择走正路、做正确的事，追求至诚，而且坚持不懈。固执：坚持不懈。

朱注：“此承上文诚身而言。诚者，真实无妄之谓，天理之本然也。诚之者，未能真实无妄，而欲其真实无妄之谓，人事之当然也。圣人之德，浑然天理，真实无妄，不待思勉而从容中道，则亦天之道也。未至于圣，则不能无人欲之私，而其为德不能皆实。故未能不思而得，则必择善，然后可以明善；未能不勉而中，则必固执，然后可以诚身，此则所谓人之道也。不思而得，生知也。不勉而中，安行也。择善，学知以下之事。固执，利行以下之事也。”

【精解】

诚

诚，中国古代哲学术语，与道德的行为规范。朱熹解为“真实无妄”，但历代学者有不同的阐发。《中庸》认为“诚”这一精神实体会发生化生万物的作用力，“诚者，自成也，而道自道也。诚者，物之终始，不诚无物。”作为道德的行为规范的“诚”，指诚实，不自欺，不欺人。《大学》：“所谓诚其意者，毋自欺也。”唐李翱将“诚”视为“圣人之性”是至静至灵寂然不动的“心”

（精神）；北宋周敦颐则以为是至高无上的宇宙本体："诚者，圣人之本，大哉乾元，万物资始，诚之源也。"明清之际王夫之提出"诚，以言其实有尔"，"诚者，天之道也，阴阳有实之谓"，用以指客观的"实有"，并作为宇宙的一般规律。劳思光说："诚，亦指'本性之圆满'。"

20-8（学习要诀）

博学之，审问之，慎思之，明辨之，笃行之。有弗学，学之弗能弗措也；有弗问，问之弗知弗措也；有弗思，思之弗得弗措也；有弗辨，辨之弗明弗措也；有弗行，行之弗笃弗措也；人一能之己百之，人十能之己千之。果能此道矣，虽愚必明，虽柔必强。

【语译】

要广博学习，要观察追问，要认真思考，要明白分辨，要确实力行。

若是没学过的，就用心学习，不到学会绝不放弃。若是没问过的，不问到明白绝不放弃。若是没思考过的，不到想出结论绝不放弃。若是没辨析过的，不到辨别清楚绝不放弃。若是还没实践的，不到做得很踏实绝不放弃。

别人做一遍就完成的，我努力做一百遍；别人尝试十遍就成功的，我尝试一千遍。如果有这种不怕困难的精神，本来不聪明的人，也会明智起来，本来软弱的人，也会刚强起来。

【详注】

博学之，审问之，慎思之，明辨之，笃行之。

（这择善固执以达到诚的要诀就是）要广博学习，要观察追问，要认真思考，要明白分辨，要确实力行。

博学：广博的学习。审问：细心观察、深入追问。慎思：仔细认真的思考。明辨：清楚的分辨。辨：分析、判别。笃行：确实力行。笃：专一、切实。行：实践。朱注：“此诚之之目也。学、问、思、辨，所以择善而为知，学而知也。笃行，所以固执而为仁，利而行也。程子曰：‘五者废其一，非学也。’”

有弗学，学之弗能弗措也；

若是没学过的，就用心学习，不到学会绝不放弃。

弗：副词，“不”的意思。能：能够、善于。指精通。措：废置、搁置，即“放弃”。知：明白、了解。

有弗问，问之弗知弗措也；

若是没问过的，不问到明白绝不放弃。

有弗思，思之弗得弗措也；

若是没思考过的，不到想出结论绝不放弃。

有弗辨，辨之弗明弗措也；

若是没辨析过的，不到辨别清楚绝不放弃。

有弗行，行之弗笃弗措也；

若是还没实践的，不到做得很踏实绝不放弃。

人一能之己百之，人十能之己千之。

别人做一遍就完成的，我努力做一百遍；别人尝试十遍就成功的，我尝试一千遍。

能：指学、问、思、辨、行五个方面的彻底达成。“百”和“千”是一种夸饰修辞法，强调其多。（参本书《中庸》第二十七章“夸饰”）朱注：“君子之学，不为则已，为则必要其成，故常百倍其功。此困而知，勉而行者也，勇之事也。”

果能此道矣，虽愚必明，虽柔必强。

如果有这种不怕困难的精神，本来不聪明的人，也会明智起来，本来软弱的人，也会刚强起来。

此道：这种道路、方法。指前述“人一能知己百之，人十能之己千之”的不怕困难的精神。陈立夫说：“己百之，己千之，自非有恒不可。有恒能使愚变明、柔变强。此为困而知之，勉强而行之，其最后之成智与成功，并无区别。此可见有恒之真正可贵。”愚：愚笨、不聪明。柔：软弱。

【精解】

“人一能之己十之”不仅指努力练习或实践，也可指实验或尝试精神。如神农之尝百草，如爱迪生之为电灯试遍各种材料（据说失败了一万多次）。海明威的《战地钟声》在出版前，改写了三十九次。他为追求卓越而奉献的心血，后来为他赢得了普利茨奖和诺贝尔文学奖。德国药物学家欧立希，经过十年努力发明了能治疗梅毒病和昏睡病的药“606”，挽救了无数的生命。这个药的命名，是由于他研究这种药的时候，前六百零五次都失败了。

【修辞】

《中庸》与《心经》

这一节的文字，是在说“学、问、思、辨、行”都要彻底于成，不成功绝不罢休。结果变成了五大串大同小异的文字。这样的文字，到底能不能加以简化呢？

黄庆萱认为本章文字属于类叠。又说：“《般若波罗蜜多心经》有‘色不异空，空不异色；色即是空，空即是色。受想行识，亦复如是’。我曾想：把《中庸》中句子，改成：

‘有弗学，学之弗能弗措也。问思辨行，亦复如是。’

或把《心经》中句子，改成：

‘色不异空，空不异色；色即是空，空即是色。

受不异空，空不异受；受即是空，空即是受。

想不异空，空不异想；想即是空，空即是想。

行不异空，空不异行；行即是空，空即是行。

识不异空，空不异识；识即是空，空即是识。’

总觉不妥。一是《中庸》‘学’的目标是‘能’，而‘问思辨行’的目标分别在‘知得明笃’，并不是‘能’，因之用‘亦复如是’不能概括周延。更重要的是那种亲切叮咛的意味也失去了。

而《心经》中用‘亦复如是’却能概括其意而不致产生歧义，如一一详言，不见亲切，反觉噜苏。”（黄庆萱《修辞学》第586页）

朱光潜曾为“简赅”与“生动”的抉择定下一条原则：“文学在能简赅而又生动时，取简赅；在简赅而不能生动时，则无宁取生动。”所以，黄庆萱认为“总觉不妥”，有其依据。

【会通】

林肯年轻时代的座右铭

I will study and get ready, and perhaps my chance will come. 我要学习，做好准备，我的机会也许会到来。

海柏学习法则

神经网络遵循赫布定律（Hebb's rule）：每做一次正确决定，那些神经通路就获得增强。只要在每次它成功地执行一个工作后，改变某些神经元之间的连结强度，此一增强就已完成。[赫布理论可以用这老掉牙的问题来表达：音乐家要如何取得前往卡内基音乐厅（Carnege Hall）演奏的邀请？答案：练习、练习、再练习。对神经网络来说，练习可以达到完美。赫布定律也可以解释：坏习惯之所以难以打破，因为这个坏习惯的神经通路已经根深蒂固。]

神经网络植基于“由下而上”的方式。它不是被所有的智能规则填满的，而是以婴儿学习的方法得到，跌跌撞撞，遇到很多事物，在经验中学习。神经网络并未被灌满程序，而是用老旧的方法，通过艰苦的生活磨炼来学习。（加来道雄《未来物理学》英文版第71页）

读经而已，则不足以知经

然世之不见全经久矣，读经而已，则不足以知经（儒家经典）。故某自百家诸子之书，至《难经》、《素问》、《本草》诸小说，无所不读；农夫女工，无所不问；然后于经为能知其大体而无疑。盖后世学者，与先王之时异也。不如是，不足以尽圣人故也，扬雄虽为不好非圣人之书，然而墨、晏、邹、庄、申、韩，亦何所不读？彼致其知而后读，以有所去取，故异学不能乱也。惟其不能乱，故能有所去取者，所以明吾道而已。子固视吾所知，为尚可以异学乱之者乎？非知我也。（王安石《答曾子固书》）

胡适的治学方法

理想中的学者，既能博大，又能精深。精深的方面，是他的专门学问。博大的方面，是他的旁搜博览。博大要几乎无所不知，精深要几乎惟他独尊，无人能及。他用他的专门学问做中心，次及于直接相关的各种学问，次及于间接相关的各种学问，次及于不很相关的各种学问，以次及毫不相关的各种泛览。这样的学者，也有一比，比埃及的金字三角塔。那金字塔高四百八十英尺，底边各边长七百六十四英尺。塔的最高度代表最精深的专门学问；

从此点以次递减，代表那旁收博览的各种相关或不相关的学问。塔底的面积代表博大的范围，精深的造诣，博大的同情心。这样的人，对社会是极有用的人才，对自己也能充分享受人生的趣味。宋儒程颢说的好："须是大其心使开阔：譬如为九层之台，须大做脚始得。"博学正所以"大其心使开阔"。（胡适《胡适文存·读书》）

牛顿的大哉问

当艾萨克·牛顿（Issac Newton）目击一个苹果掉落并注视月亮时，他问了自己一个永远改变人类历史的问题：如果苹果会掉下来，那么月亮也会掉下来吗？在他二十一岁的时候，灵光一闪，认识到那吸引苹果的力量，跟所有到达行星和彗星的力量没有两样。这容许他去运用一种他刚发明的数学（微积分），去绘制行星和月亮的轨道，也首度为天体的运动解码。公元一六八七年，他出版的杰作《自然哲学的数学原理》（*Principia*），可以说是有史以来最重要的科学著作，也被评定为人类历史上最有影响力的著作之一。

更重要的是，牛顿介绍了一种新的思考方法——一种可以透过力量计算移动物体的运动的机制。对于物体的运动，我们不再受到有关灵魂、魔鬼和鬼魂的奇想所支配，而是认为物体因为充分界定（可以测量和控制）的力而移动。这带来了牛顿力学（Newtonian mechanics），科学家可以用它正确地预测机器的行为；

而这一点又为蒸汽机及火车头铺了路。复杂的蒸汽动力机器的复杂动力学，可以用牛顿定律有系统地分解，成为一个一个的螺栓和一个一个的杠杆。所以牛顿的引力描述为欧洲的工业革命铺了路。

言前定，则不跲

这是一个真人真事、感人肺腑的电影，片名为“国王的演讲”（*The King's Speech*）。

英国国王爱德华八世因为“不爱江山爱美人”退位后，由弟弟乔治六世继承王位。然而乔治六世自小便有严重的口吃困扰，被众人认为不适宜当国王，乔治六世于是求助于非正统的语言治疗师莱诺。经过了一连串艰辛的矫正训练，乔治的演说果然有了明显的进步，也和治疗师莱诺成了心灵挚交。随着二次大战的爆发，曾经连几句问候语都讲不好的乔治六世，竟发表了一场最触动人心的经典演说，深深鼓舞了当时身陷战火中的英国军民。

第二十一章　双轨典范

自诚明，谓之性；自明诚，谓之教。诚则明矣，明则诚矣。

【语译】

由真诚而得以明善，这是先天本性的发挥。由明善而达到真诚，这是后天的教化。真正进入诚的境界，自然就能明善。明善到了一定的程度，就会表现真诚。

【详注】

自诚明，谓之性；自明诚，谓之教。

由真诚而得以明善，这是先天本性的发挥。由明善而达到真诚，这是后天的教化。

自诚明：自我昭明。自：从、由。诚：真诚。“诚”是宇宙的本体，作为道德规范的“诚”则指诚实无欺。性：先天的本性。明：“自诚明”的“明”是昭明、聪明。“自明诚”的“明”则是明白、明善，指涉的是功夫或道德努力。谓：称呼、叫作。之：它，指“自诚明”。后面的“之”

指“自明诚”。教：后天人为的教化、教育。

诚则明矣，明则诚矣。

真正进入诚的境界，自然就能明善。明善到了一定的程度，就会表现真诚。

则：即、就。朱注：“德无不实而明无不照者，圣人之德。所性（本性的全部）而有者也，天道也。先明乎善，而后能实其善者，贤人之学。由教而入者也，人道也。诚则无不明矣，明则可以至于诚矣。”

【修辞】

回文

“自诚明”与“自明诚”这种双向道，最自然的表现方式就是“回文”。（参本书《大学》第十章“回文”）

【会通】

双向道

朱子认为，本章是“子思承上章夫子天道人道之意而立言也，自此以下十二章，皆子思之言，以反推明此章之意。”可见本章的重要。

用音乐来打比方，这一章的主旨和写作方式，可说是第一章的“变奏”——“天命之谓性”与“自诚明，谓之性”对应，“修道之谓教”与“自明诚，谓之教”对应。中间省略了“率性之谓道”，却又多出了“诚则明，明则诚”的新命题。也就是把由天命到修道的“单行道”，扩充为“诚明合一”的“双向道”。这样的扩充，形同打通任督二脉，意义非常深远。

再用修禅为例，“自诚明”的人就是已经“顿悟”的人，大悟以后所有的道理都是一通百通。凡事心即理，只要运用演绎法，都能跟圣人一样“不勉而中，不思而得，从容中道”。而“自明诚”的人，就要通过“渐修”，择善固执，慢慢归纳，慢慢学习，最后或可修成正果。

我记得小时候，语文老师总是教我们先用单字造词，然后造句，最后才是作文。这是一种由下向上（bottom up）的“建构”模式。学英文也一样，背单字枯燥而无味。后来有了衍生理论，也有了全语言的学习理论，可以先学得有意义的句子，然后才认识词汇和单字。这是一种由上向下（top down）的学习模式，有一点“自诚明”的味道。

四书的学习也有类似情形。《大学》、《中庸》讲的是巨观的大道理，一个理论体系，开宗明义就把根本的道理讲了，然后再条理井然地演绎一番，这些道理有些难懂，但一旦通了，就可以无所不包。《论》、《孟》则是一堆散落的珍珠，字字珠玑，如果完全串起来就是很大的学问。所以，广义而言，四书的修习，也有“自诚明”和“自明诚”的分野呢。

陈立夫说“诚”

诚既为动能，动能之表现为波，如光波、声波、电波、力波等。波可集中，光波集中于一点，谓之焦点，为最明亮，故曰“诚则明”。声波之集中于一点复转换成电波，则可广播至无远弗届，故至诚能成其大，能及其远，由“不息则久”以达“悠久无疆”。电波聚积与透过于极细微之电路，可以生热。故曰“热诚”。用之以解析物质，谓之电化，故曰“唯天下之至诚为能化”。力波集中于一点，则力大可以推动他物，且锐不可当，无坚不摧，故曰：“至诚而不动者，未之有也。不诚，未有能动者也。”谚曰：“精诚所至，金石为开。”由此而知“诚意”为动能之集中。常人须勉力而使之集中，圣人则“不勉而中”。俗称信仰或称意志集中，其义亦同。（《四书道贯》第 251 页）

第二十二章　能尽其性

唯天下至诚，为能尽其性；能尽其性，则能尽人之性；能尽人之性，则能尽物之性；能尽物之性，则可以赞天地之化育；可以赞天地之化育，则可以与天地参矣。

【语译】

唯有把诚看作世界的本体，道德修养达到最高境界的人，才能充分发挥自己天赋的本性；能充分发挥自己天赋的本性，就能教化别人，充分发挥所有的人的本性；能充分发挥所有的人的本性，就能充分发挥万物的本性；能充分发挥万物的本性，就可以助成天地的造化和养育万物；可以助成天地的造化和养育万物，就可与天地并列为三了。

【详注】

唯天下至诚，为能尽其性；

唯有把诚看作世界的本体，道德修养达到最高境界的人，才能充分发挥自己天赋的本性。

至诚：指道德修养达到最高境界的人，即理想中的“圣王”。尽其性：充分发挥自己天赋的本性。尽：穷尽。引申为事物达到的极限或顶点。其：指至诚的人。

能尽其性，则能尽人之性；

能充分发挥自己天赋的本性，就能教化别人，充分发挥所有的人的本性。

则：连词，表示承接，连接条件与结果，相当于“便”、“就”。人：指所有的人。

能尽人之性，则能尽物之性；

能充分发挥所有的人的本性，就能充分发挥万物的本性。

能尽物之性，则可以赞天地之化育；

能充分发挥万物的本性，就可以助成天地的造化和养育万物。

赞：佐助、助成。化育：造化（化生）和养育。

可以赞天地之化育，则可以与天地参矣。

可以助成天地的造化和养育万物，就可与天地并列为三了。

则可与天地参矣：就可以与天地并列为三。参（sān）：通“三”，三者并立。

【精解】

朱注：天下至诚，谓圣人之德之实，天下莫能加也。尽其性者德无不实，故无人欲之私，而天命之在我者，察之由之，巨细精粗，无毫发之不尽也。人物之性，亦我之性，但以所赋形气不同而有异耳。能尽之者，谓知之无不明而处之无不当也。赞，犹助也。与天地参，谓与天地并立为三也。此自诚而明者之事也。

【修辞】

联珠

上句的末字，和下句的首字相同；或前段的末句，和后段的首句相同；这样上递下接，蝉联而下的修辞法，叫作“顶真”。

三种修辞角色

这一节的修辞方式，非常丰富又特别。就部分文字的重复来看是“联珠”（如上述）。就内容言，由一己诚的发扬，就能尽己性，推而及于他人之性；再而及于万物之性，终至于可以帮助大地的化生长育。阐明至诚的功效，层层扩充，使人理念明晰，是“层递”；就整体形式而言是“排比”。（参本书《大学》“经文”章第一节“排比兼层递”、“经文”章第二节“联珠”）

【会通】

董仲舒：人是天的副本

西汉董仲舒提出天人相类，人附天数之说，认为天按照自己的模式创造人的形体和精神，天所有者，人亦有之，人所有者，天亦有之，“以类合之，天人一也。”人与万物之不同之处在于：人是天的副本，人与天同类。人不仅有与天相类的形体，而且有与天相似的意志、意识和情感。至于天子乃是人中之“德侔天地者”，他受命于“天”，得到“天”的保佑，“父母事天而子孙畜万民”。由于人是天之副本，人在宇宙系统中占有一个与天地并列为参的地位，具有十分重要的功能。人是高于万物与天地并列为三的，人和天地一起决定万物的生成。

与天地并列

到了二一〇〇年，我们的命运就是成为我们曾经膜拜和畏惧的神明。但我们的工具将不会是魔术棒与魔水，而是计算机科学、纳米科学、人工智能、生物科技以及最重要的作为这些科技的基础的量子理论。

在二一〇〇年，如同神话中的神一般，我们将能以我们的念力操控物体。悄悄地阅读着我们的思想的计算机，将会实现我们的愿望。我们将能单靠思想，就能移动物体——从前，这种心电感应的能力专属于神明。运用生物科技的力量，我们将创造完美的身体并延长寿命。我们也将能够创造出地球上前所未有的生命形式。运用纳米科技的力量，我们可以将某种物体转换成另一种东西，几乎是无中生有地创造出东西。我们不会驾驭火红的战车，却有流线型的车子，几乎不用燃料就能不费力地漂浮空中。我们的引擎将能运用恒星上无尽的能源。我们快要可以送星船去探索邻近的星球。（加来道雄《未来物理学》）

第二十三章　渐修内化

其次致曲。曲能有诚，诚则形，形则著，著则明，明则动，动则变，变则化。唯天下至诚为能化。

【语译】

其次，至诚的人还能省察内心隐微的意念。推究内心隐微的意念，就能排除杂念，进入真诚的心态。心态真诚到了相当程度，就会表现出来。表现出来到了相当程度，就会彰显开来。彰显到了相当程度，就会散发光辉。光辉散发到了相当程度，就会感动人心。感动人心到了相当程度，就会造成转化，使价值观内化，成为行为的指针。所以，只有最真诚的人，才能够使所有的价值观内化。

【详注】

其次致曲。曲能有诚，

（除了能尽其性）其次（谈到修养的功夫），至诚的人还能省察内心隐微的意念。推究内心隐微的意念，就能排除杂念，进入真诚的心态。

其次：(1) 第二点，另一方面；(2) 指次于圣人的贤人。致曲：致，推致。用心去做。曲：(1) 起心动念之处、曲折隐秘的地方；(2) 有所偏而不完善、细小的事。

诚则形，形则著，著则明，明则动，动则变，变则化。

心态真诚到了相当程度，就会表现出来。表现出来到了相当程度，就会彰显开来。彰显到了相当程度，就会散发光辉。光辉散发到了相当程度，就会感动人心（影响外界）。感动人心到了相当程度，就会造成转化，使价值观内化，成为行为的指针。

诚则形：内心达到真诚就会表现于外。《大学》中说："诚于中，形于外，故君子必慎其独也。"形：显露、表现于外。著：显明、显出。明：光明；明见。动：感动众人。化：内化、转化，指使人不自觉地改变恶习而向善。陈槃说："变和化不同，变只是改变旧俗，然而还有痕迹，化就都消化了，没有一点痕迹了。"

唯天下至诚为能化。

所以，只有最真诚的人，才能够使所有的价值观内化。

【精解】

"其次"有二解

"其次"有两重解释，随之而来的"致曲"也有不同。朱子认为："其次，通大贤以下凡诚有未至者而言也。致，推致也。曲，一偏也。”意思就是：第一等人是“圣人”，而次一等的人，则是“贤人”。贤人只能致力推求比较细微、偏于某一方面的事物，但工夫到了也能达到“诚”的境界。这就是所谓“自明诚”，由小处做起，由下向上发展最后达到“化”的境界就等于“至诚”了。

另外有人认为，“其次”是接着上面的立论，继续说第二个要点，上一章说“唯天下至诚，为能尽其性”。这一章要说“(唯天下至诚，为能）致曲”，主语是“至诚”，仍是“圣人”，不是“贤人”。也就是说，致曲是要省察内心隐微的意念，致力正心诚意，使所有的价值观内化，才能做到“从心所欲，不逾矩”。由于本章结语说“唯天下至诚为能化”，所以我在翻译为白话时，采取第二种说法。

【修辞】

类叠

本章的“诚、形、著、明、动、变、化”六个连锁性因果关系，以“联珠格”来表达，实在巧妙。(参本书《中庸》第二十二章)

如果从文字的重复来考察，则本节出现六个“则”，也可归类为“类叠”。

【会通】

致曲就是“微观”

“其次”从朱子以下，都解为“次于圣人的贤人”，是次一等的人。这种说法虽然还说得通，但末句又说到“唯天下至诚为能化”，可见这还是至诚的功夫。其实，这是看待问题出发点的问题。致曲，就是“渐修”，就是“由下向上”，就是“微观”的一种探讨事物原理的方式。

一粒沙一世界，一朵花一天堂

英国诗人威廉·布莱克（William Blake, 1757—1827）的这几行诗，在欧美并不出名，华人却特别青睐，或许是跟佛教思想有相通之处吧。

To see a world in a grain of sand
And a heaven in a wild flower
Hold infinity in the palm of your hand
And eternity in an hour
一沙见世界，一花窥天堂。
手心握无限，须臾纳永恒。

第二十四章　至诚如神

至诚之道，可以前知。国家将兴，必有祯祥；国家将亡，必有妖孽；见乎蓍龟，动乎四体。祸福将至，善，必先知之；不善，必先知之。故至诚如神。

【语译】

真诚的最高境界，是可以预知未来。国家将要兴盛时，一定会有祥瑞的征兆出现。国家将要灭亡时，一定会有怪异不祥的事物出现。透过卜筮和龟甲可以看见，观察行为举止的变化也可察知。灾祸或幸福将要来临时，不论好坏，都会预先知道。所以真诚达到最高境界的人，简直就跟神灵一般微妙，难以形容。

【详注】

至诚之道，可以前知。

真诚的最高境界，是可以预知未来。

前知：事前知道将要发生的事。

国家将兴，必有祯祥；国家将亡，必有妖孽；

国家将要兴盛时，一定会有祥瑞的征兆出现。国家将要灭亡时，一定会有怪异不祥的事物出现。

祯祥：吉兆。祯：吉祥。妖孽：怪异、凶恶的事物或预兆。

见乎蓍龟，动乎四体。

透过蓍草和龟甲可以看见，观察行为举止的变化也可察知。

见乎蓍龟：在蓍草和龟甲的占卜中出现。见（xiàn）：呈现。显露、显出。同“现”。乎：介词，相当于“于”。蓍龟：蓍草和龟甲。古代用来占卜（卜为龟卜，筮为蓍占）。蓍（shī）：蓍草。古人卜筮用蓍草茎。龟：古人用龟甲占卜，卜时灼龟甲，视其裂纹以判吉凶。动乎四体：指从人们的仪表、动作中察觉。动：感动、变动。四体：四肢，引申指整个身体、身躯，推及人的行为举止。

祸福将至，善，必先知之；不善，必先知之。

灾祸或幸福将要来临时，不论好坏，都会预先知道。

祸福：吉凶、祸事或幸福。福：幸福、富贵寿考的统称。或泛称吉祥幸运的事。善：美好。之：它，代词。

故至诚如神。

所以真诚达到最高境界的人，简直就跟神灵一般微妙，难以形容。

神：神灵、神仙。朱注：“神谓鬼神。”

【修辞】

映衬

“国家将兴，必有祯祥；国家将亡，必有妖孽”，“兴”、“亡”相对，“祯祥”与“妖孽”相对，这是一种对比性的“映衬”。（参本书《大学》“经文”章第三节“映衬”）。

【会通】

天人感应说

劳思光说：汉儒承战国阴阳家之影响，最喜欢讲灾异；无论治《春秋》的，治《易》的，都喜欢谈人事的关系等等。这并不仅如后世儒者所解释的那样，为了要警惕人主，而实在是有一套理论作背景的。大致说来，这套理论即是一种“宇宙论中心的哲学”；这种理论先假定一种宇宙之理，作为人事之理的根据；而又加上将“天”意志化，所以便有天人相应的观念。汉儒末流，专谈符命谶纬，即由这种观念发展而来。《中庸》论及“前知”，显然混杂了汉儒这种思想在内，也表示《中庸》的成书，必在汉代。（劳思光《大学中庸译注新编》）

董仲舒的宇宙系统论以“天人感应”观念为中心。也就是说，人和人间的君主在宇宙大系统中具有卓越的地位、特殊的功能，同时，也受到天的制约，不能违背天的意志。在此基础上，董仲舒进而提出了他的灾异谴告之说。认为灾异是天谴告天子的手段，是天欲救天子的表示，而灾异本身是国家行政失当所造成的。如果天子善于体贴天意，及时纠正过失，则可消除灾异，如果天子不知应变，天就任其灭亡。由此可见，董仲舒精心构造的天、地、人“相为手足，合以成体”的宇宙系统论，其最终目的是要“屈民以伸君，屈君以伸天”，要论证他在“天人三策”中提出的“天人相与之际，甚可畏也”的主题。问题的实质确如鲁迅先生所言，“天”是一道进奉给皇帝的“红嘴绿鹦哥”！（引自张岱年主编《中华的智慧》）

第二十五章　自我实现

诚者，自成也；而道，自道也。诚者，物之终始；不诚无物。是故君子诚之为贵。诚者，非自成己而已也，所以成物也。成己，仁也；成物，知也。性之德也，合外内之道也，故时措之宜也。

【语译】

所谓诚，就是成就自己本性带来的潜能。而所谓道，就是要自我引导，去走自己当行之路，以发挥本性，达成自我实现。诚，是宇宙的本体，宇宙的万物成住坏空的基本原理，缘起缘灭都在其中。有了真诚，事情才会有美好的开始与完成，没有原理原则，宇宙失去秩序，就没有万事万物了。所以君子最重要的事，就是要让自己向诚趋近，达到最高境界，把握宇宙基本动力和生命的原始动机，成为至诚的人。

做到这样的真诚，不仅是止于成全自己而已，也是为了使自身以外的一切有所成就。成全自己显示了仁的德行；成就万物是智的表现。诚是本体，是天命之性，其实践为道。道可分为向内和向外两条路。向内做内省工夫，自我完成，向外追求真理，成就万物，所以放诸四海而皆准，俟百世而不惑，随时施行，都能得其所宜。

【详注】

诚者，自成也；而道（dào），自道（dǎo）也。

所谓诚，就是成就自己本性带来的潜能。而所谓道，就是要自我引导，去走自己当行之路，以发挥本性，达成自我实现。

者：代词，指“诚”。自成：自我完成、自我实现。成：造就、成全。也：句末语气词，表示判断或肯定。道（自道的“道”）：通“导”，引导。

诚者，物之终始；不诚无物。

诚，是宇宙的本体，宇宙的万物成住坏空的基本原理，缘起缘灭都在其中。有了真诚，事情才会有美好的开始与完成，没有原理、原则，宇宙失去秩序，就没有万事万物了。

物：指一切事物的存在。之：助词，相当于“的”。终始：即始终本末。指万事万物的始终本末都离不了诚。现代物理学家认为引力、电磁力、强作用力和弱作用力是四种主要力量。

是故君子诚之为贵。

所以君子最重要的事，就是要让自己向诚趋近，达到最高境界，把握宇宙基本动力和生命的原始动机，成为至诚的人。

诚之为贵：让自己成为至诚的人最为重要。诚，动词。之：代词，指诚本身。贵：宝贵、重要。朱注："天下之物，皆实理之所为，故必得是理，然后有是物。所得之理既尽，则是物亦尽而无有矣。故人之心一有不实，则虽有所为亦如无有，而君子必以诚为贵也。盖人之心能无不实，乃为有以自成，而道之在我者亦无不行矣。"

诚者，非自成己而已也，所以成物也。

做到这样的真诚，不仅是止于成全自己而已，也是为了使自身以外的一切有所成就。（圣哲之为圣哲，正是要教化天下，重建世界。）

成就自己本身。而已：表示限制或让步的语气助词，相当于口语中的"罢了"。已：中止。所以：用以，用来。成己：成物：成就万事万物。

成己，仁也；成物，知也。

成全自己显示了仁的德行；成就万物是智的表现。

知也：知是求真，对于客观世界外物的认识与掌握，属于认知活动。

性之德也，合外内之道也，故时措之宜也。

诚，是宇宙的本体，是天命之性，其实践为道。道可分为向内和向外两条路。向内做内省工夫（内圣），自我完成，向外追求真理，成就万物（外王），所以放诸四海而皆准，俟百世而不惑，随时施行，都能得其所宜。

性之德：仁和知都是人性本有的德性。合外内之道：融合外以成物、内以成己这两种法则。故时措之宜也：因此配合时机施行都能得其宜。时：经常。措：举措、施行、采取某种行动。宜：适宜、恰当（适当的方式）。

【会通】

马斯洛：自我实现

新儒学大师杜维明指出："《中庸》所憧憬的似乎是一种自我实现的创造性过程，它是由一种我生成的力量源泉所孕育和推动的。"（《中庸洞见》第31页）现代教育的理想，其实也是尽性的教育（参本书《中庸》第二十二章），也就是了解自己的天赋和内在需求，充分发挥自己的潜能，达到自我实现的境界。

人本主义心理学大师马斯洛（Abraham Maslow）提出的"需求层次理论"认为，人类的需要是以层次的形式出现的，由低级生理的需求开始，逐级向上发展到高级层次的需求。这些需求形成一个需求金字塔，由最底层的生理需求，依次向上分别为安全的需求（安全感、金钱）、爱与归属感的需求（友谊与被爱）、自尊的需求（成就、名声、地位）、最高层就是自我实现的需求（真、善、美）。马斯洛的研究发现，自我实现的人对生命感到满意，能够充分发展自己的潜能和创造力。他们对人较为真诚，较能接纳别人，并自我悦纳。

人本主义的心理学家及教育家都相信，每个人天生均具有自我实现的倾向。根据马斯洛的需求层次理论，当一个人较低层次的需求（如安全感）获得基本满足之后，他便会转而尝试满足更高层次的需求（如自我实现），他对生命的满意度也随之提高，但是当这样的倾向受到阻碍，特别是孩童时期父母冷酷或拒绝的态度，便会影响到这个人的自我概念的健康发展和他对现实世界的觉察，这个人开始自我防卫，甚至从真实的感受中抽离出来时，就更难成为自我实现的人了。

第二十六章　至诚无息

26-1（无为而成）

故至诚无息。不息则久，久则征，征则悠远，悠远则博厚，博厚则高明。博厚，所以载物也；高明，所以覆物也；悠久，所以成物也。博厚配地，高明配天，悠久无疆。如此者，不见而章，不动而变，无为而成。

【语译】

所以，道德修养达到最高境界的人，永远真诚，从不止息。从不止息，就会永远存在。在里面存在久远，就会在外面发生效应。有效应就会影响久远；影响久远就会蓄积广博深厚；广博深厚就会崇高而光明。广博深厚，因而可以承载万物；崇高光明，因而可以覆盖万物；影响久远，因而可以成就万物。广博深厚可以媲美大地，崇高光明可以媲美苍天，直到永远。达到这样的境界，不用出现，就会自然彰显出来；不刻意影响外界，就会造成变化；没有特别作为，就能成就一切。

【详注】

故至诚无息。不息则久，久则征，

所以，道德修养达到最高境界的人，永远真诚，从不止息。从不止息，就会永远存在（心中）。在里面存在久远，就会在外面发生效应。

至诚：指道德修养达到最高境界。（把诚看作世界的本体，认为至诚则达到人生的最高境界。）无息：没有间断。朱注："既无虚假，自无间断。"劳思光说："圣哲合内外之道，是周行而无间断的。"息：消失、停止。则：连词，表示承接关系，相当于"就"、"便"、"那么"。傅佩荣说：这里连用的五个"则"字，都应理解为"做到某一程度"之后所产生的质变。久：长久、永久。朱注："久，常于中也。"征：效验、验证、发生效应、表露。

征则悠远，悠远则博厚，博厚则高明。

有效应就会影响久远，影响久远就会蓄积广博深厚；广博深厚（发出来）就会崇高而光明。

悠远：长久、久远。孔颖达疏："悠，长也。若事有征验，则可行长远也。"博厚：广博深厚。高明：崇高光明。朱注："此皆以其验于外者言之。郑氏所谓'至诚之德，著于四方'者是也。存诸中者既久，则验于外者益悠远而无穷矣。悠远，故其积也广博而深厚；博厚，故其发也高大而光明。"

博厚，所以载物也；高明，所以覆物也；悠久，所以成物也。

广博深厚，因而可以承载万物；崇高光明，因而可以覆盖（庇护）万物；影响久远，因而可以成就万物（进行演化）。

所以：用此、用来。载物：承载万物、承受万物。覆物：覆盖万物。覆：遮盖、掩蔽。成物：成就万物。朱注："悠久，即悠远，举内外而言之也。本以悠远致高厚，而高厚又悠久也。此言圣人与天地同用。"

博厚配地，高明配天，悠久无疆。

广博深厚可以媲美大地，崇高光明可以媲美苍天，直到永远。

配：相当、媲美。无疆：无止境、无穷尽。

朱注："此言圣人与天地同体。"傅佩荣说："这话说得太过，至多可说圣人与天地'同功'或'同用'。在二十二章说，至诚者'与天地参'是共成为参，而非同体。"劳思光说："以心性中的'博厚'之德与宇宙中的'地'比，二者相当。以心性中的'高明'之德与宇宙中的'天'比，二者相当。"

如此者，不见而章，不动而变，无为而成。

达到这样的境界，不用出现，就会自然彰显出来；不刻意影响外界，就会造成变化；没有特别作为，就能成就一切。

者：助词，用于句中，表示停顿。见（xiàn）：同"现"。显露、出现。章：同"彰"，彰明、明显。朱注："不见而章，以配地而言也。不动而变，以配天而言也。无为而成，以无疆而言也。"

【修辞】

类叠

五个"则"字并用，有加强语气的效果。（参本书《大学》

第七章）

联珠

不息则久，久则征，征则悠远，悠远则博厚，博厚则高明。（参本书《大学》“经文”章第二节“联珠”）

26-2（天地之道）

天地之道，可一言而尽也：“其为物不贰，则其生物不测。”天地之道，博也，厚也，高也，明也，悠也，久也。今夫天，斯昭昭之多，及其无穷也，日月星辰系焉，万物覆焉。今夫地，一撮土之多，及其广厚，载华岳而不重，振河海而不泄，万物载焉。今夫山，一卷石之多，及其广大，草木生之，禽兽居之，宝藏兴焉。今夫水，一勺之多，及其不测，鼋鼍、蛟龙、鱼鳖生焉，货财殖焉。

《诗》云：“维天之命，于穆不已！”盖曰天之所以为天也。“于乎不显！文王之德之纯！”盖曰文王之所以为文也，纯亦不已。

【语译】

天地的运作模式，可以用一句话就说完了：“为物不贰，生物不测。”也就是由“诚”出发，有一定的理则，但是一理万殊，所以演化出来的万物千变万化，难以揣度。天地之道就是：广博，深厚，崇高，光明，悠远，长久。现在以天来说，乍看之下，它只是一小片光明，但扩大到无穷尽的地方，所有的日月和众星都高挂在上面，万物都被它覆盖。现在以地来说，眼前不过是一小撮、一小撮泥土那么多，等到它累积达到宽广深厚时，承载华山而不重，收纳河海而不泄漏，万物都被它负载。现在以山来说，从小处看来，不过是一块块拳头大小的石头那么多，但是累积广大以后，草木靠它生长，禽兽以它为居所，许多矿藏都储存在内，可供开采。现在以水来说，原本只是一小勺、一小勺积聚而来的，扩大到浩瀚无涯时，大鳖（鼋）、猪婆龙（鼍）、蛟龙、鱼鳖等都在里面生生不息，也孳生了很多水产。

《诗经》上说："上天的命令，真是深远不息啊！"所谓深远不息就是天之本性所在。"啊！大显其光明！文王的德行纯正不杂！"这就是说，文王之所以被称为"文"，就是由于这种德行的纯正；这种德行的纯正也是"不息"的。

【详注】

天地之道，可一言而尽也："其为物不贰，则其生物不测。"

天地的运作模式，可以用一句话就说完了："其为物不贰，则其生物不测。"也就是由"诚"出发，有一定的理则，但是一理万殊，所以演化出来的万物千变万化，难以揣度。

一言：一句话。也：句末语气词，表示判断和肯定。为物：对物的作为、作用，而非"造物"。不贰：即指一个"诚"字，有一致（且不变）的理则，没有差异。生物：产生万物。不测：不可揣度（如"天有不测风云”)；难以测度。(按：造物一理万殊。无极生太极，太极生两仪，两仪生四象，四象生八卦……现代计算机也是依据同一原理，可以产生无限变化。达尔文的演化论不也如此？)

天地之道，博也，厚也，高也，明也，悠也，久也。

天地之道就是：广博，深厚，崇高，光明，悠远，长久。

博：广博、丰富。也：语气助词。数事并举而论时使用。厚：深厚。高：崇高(与低相对)。明：明亮。悠：长久。久：时间长远。

今夫天，斯昭昭之多，及其无穷也，日月星辰系焉，万物覆焉。

现在以天来说，乍看之下，它只是一小片光明，但扩大到无穷尽的地方，所有的日月和众星都高挂在上面，万物都被它覆盖。

夫(fú)，发语词。下同。斯昭昭之多：指此天由小小的明亮所积累。斯：指示代词，此、这个。昭昭：此处昭昭一词，或解为“明”(相对于“暗”)。如《韩非子·解老》：“以为暗乎，其光昭昭，以为明乎，其物冥冥。”或解为“小”。如《淮南子·缪称训》：“故言之用者，昭昭乎小哉。”郑玄和朱熹则集合二者，解为“小明”。人望天只可以看见这样一点明亮，故说“斯昭昭之多”。星辰：众星的总称。万物覆焉：万物都被天覆盖。

今夫地，一撮土之多，及其广厚，载华岳而不重，振河海而不泄，万物载焉。

现在以地来说，眼前不过是一小撮、一小撮泥土那么多，等到它累积达到宽广深厚时，承载华山而不重，收纳河海而不泄漏，万物都被它负载。

一撮土之多：人看眼前的一片地，觉得只是一撮土而已。华（huà）岳：即西岳华山，为五岳之一。振：收纳、聚积。郑玄注："振，犹收也。"此处引申为收容的意思。古人以为大地包纳河海于其中。不泄：即"不漏"。

今夫山，一卷石之多，及其广大，草木生之，禽兽居之，宝藏兴焉。

现在以山来说，从小处看来，不过是一块块拳头大小的石头那么多，但是累积广大以后，草木靠它生长，禽兽以它为居所，许多矿藏都储存在内，可供开采。

卷（quán）：即"拳"；一卷石即"一拳石"，即是说一块拳头大的石头。宝藏（zàng）：山中的矿藏。兴：产生。（按：读这一段，很难不想起"愚公移山"的故事。）

今夫水，一勺之多，及其不测，鼋鼍、蛟龙、鱼鳖生焉，货财殖焉。

现在以水来说，原本只是一小勺、一小勺积聚而来的，扩大到浩瀚无涯时大鳖（鼋）、猪婆龙（鼍）、蛟龙、鱼鳖等都在里面生生不息，也孳生了很多水产。

勺（sháo）：舀东西的工具。鼍（tuó），俗称猪婆龙。鼋（yuán），大鳖。蛟龙：传说中能发洪水、兴风作浪的龙。货财：指水中产物。殖：生长、孳息。朱注："此四条，皆以发明由其不贰不息以致盛大而能生物之意。然天、地、山、川，实非由积累而后大，读者不以辞害意可也。"

《诗》云："维天之命，于穆不已！"盖曰天之所以为天也。

《诗经》上说："上天的命令，真是深远不息啊！"所谓深远不息就是天之本性所在。

《诗》：引自《诗经·周颂·维天之命》。下面两句出处同。这是祭祀周文王的乐歌。维：语气助词，置于句首或句中，无义。通"惟"、"唯"。之：助词，相当于"的"。于（wū），叹词。表示感叹、赞美。穆：美而无尽、深远。不已：不绝、不止息。

"于乎不显！文王之德之纯！"

"啊！大显其光明！文王的德行纯正不杂！"

于乎：即"呜呼"，叹词。不显：大显。不（pī），通"丕"，即大。显：明显。之：的。德：德行。之：助词。纯：纯正。

盖曰文王之所以为文也，纯亦不已。

这就是说，文王之所以被称为"文"，就是由于这种德行的纯正；这种德行的纯正也是"不息"的。

文：《谥法》："经天纬地曰文，克定祸乱曰武。"纯：纯一。朱注："引此以明至诚无息之意。程子曰：'天道不已，文王纯于天道，亦不已。纯则无二无杂，不已则无间断先后。'"

【修辞】

类叠

"天地之道：博也，厚也，高也，明也，悠也，久也。"这与第二十章的"九经"并列一样，属于"也"字的类叠。（参本书《大学》第十章"类叠"）

排比

“今夫天……今夫地……今夫山……今夫水……”属于排比形式。

【会通】

大爆炸

“今夫天，斯昭昭之多，及其无穷也，日月星辰系焉，万物覆焉。”

这是古人对宇宙的体会，有趣的是，这样的叙述与当代显学“大爆炸”若合符节。虽未完全相合，却不违背。

大爆炸是描述宇宙诞生初始条件及其后续演化的宇宙学模型，这一模型得到了当今科学研究和观测最广泛且最精确的支持。宇宙学家通常所指的大爆炸观点是：宇宙是在过去有限的时间之前，由一个密度极大且温度极高的太初状态（奇点）演变而来的（根据2010年所得到的最佳观测结果，这些初始状态大约存在于133亿年—139亿年前），并经过不断的膨胀到达今天的状态。

宇宙不断膨胀着，至诚也不是静止的，它永不止息，不断地化育着。

第二十七章　圣人之道

大哉圣人之道！洋洋乎！发育万物，峻极于天。优优大哉！礼仪三百，威仪三千，待其人而后行。故曰：苟不至德，至道不凝焉。

故君子尊德性而道问学，致广大而尽精微，极高明而道中庸。温故而知新，敦厚以崇礼。是故居上不骄，为下不倍。国有道，其言足以兴；国无道，其默足以容。

《诗》曰："既明且哲，以保其身。"其此之谓与！

【语译】

圣人所体现的真理，真是伟大极了。它流动充满着，滋养万物，与天一般崇高。它充足而有余，真是广大啊！重要的礼制规则就有三百条之多，有关仪容动作的小礼细目，更有三千项之多。这些都留待后世圣贤来实行。所以说，如果不是具有最高智慧和道德的圣人，就无法达到理想的境界。

所以，有德者恭敬奉持天赋的本性，并且经由勤学好问去发展它。学习要从宏观的角度追求广泛与博大，也要从微观的角度详察精细微妙的部分。领悟最高明的境界，并且落实、实践中庸的平常之理。经常温习学过的学习内容，而又有了新的领悟或学到新的知识。以宽宏和厚道待人，并由此表现尊崇礼制的价值。

因此，有德者居上位的时候，不会自傲自满；居下位的时候，不会做背叛的事。天下太平的时候，他的言论足以振奋人心；国政不修、社会混乱的时候，他的静默也足以使他与世相容。《诗经》上说："既明达又智慧，这样就可保全他的生命。"说的大概就是这个样子吧！

【详注】

大哉！圣人之道！洋洋乎！发育万物，峻极于天。

圣人所体现的真理，真是伟大极了。它流动充满着，滋养万物，与天一般崇高。

哉：语气助词，表示惊叹。圣人：具有最高智慧和道德的人。道：途径、真理（傅佩荣解为"理想"）。洋洋：广阔无际的样子。这里是流动充满的意思。乎：助词，用于形容词后，表示赞美。发育：滋生长养。峻极：高大无比的样子。峻：高。

优优大哉！礼仪三百，威仪三千，待其人而后行。

真是广大啊！重要的礼制规则就有三百条之多，有关仪容动作的小礼细目，更有三千项之多，这些都留待后世圣贤来实行。

优优：充足而有余。礼仪：应当作"礼经"，古代礼节的主要规则，又称“经礼”。威仪：指有关仪容动作等小礼（细目），又称“曲礼”。“三百”与“三千”：形容项目很多。待其人而后行：这些礼留待圣贤来实行。其人：指圣贤。

故曰：苟不至德，至道不凝焉。

所以说，如果不是具有最高智慧和道德的圣人，就无法达到理想的境界。

苟：连词，如果、假设。凝：聚集、形成，引申为成功地达成。

故君子尊德性而道问学，致广大而尽精微，极高明而道中庸。

所以，有德者恭敬奉持天赋的本性，并且经由勤学好问去发展它。学习要从宏观的角度追求广泛与博大，也要从微观的角度详察精细微妙的部分。领悟最高明的境界，并且落实、实践中庸的平常之理。

尊：恭敬奉持。德性：天性、天命自然的本性。朱注：“德性者，吾所受于天之正理。”道问学：经由努力发问与学习等行动来落实“尊德性”。道：从、经由。致：推及、穷究。广大：范围、内容的广泛与博大。尽：极端、达到极限。精微：精细微妙。极：穷尽、达到最高点。高明：高超明智。

温故而知新，敦厚以崇礼。

经常温习学过的学习内容，而又有了新的领悟或学到新的知识。以宽宏和厚道待人，并由此表现尊崇礼制的价值。

温故：指复习学过的知识，而获得新的知识、体会。敦厚：宽宏厚道。崇：尊敬、尊重。

是故居上不骄，为下不倍。

因此，有德者居上位的时候，不会自傲自满；居下位的时候，不会做背叛的事。

骄：高傲自满。倍：通“背”，背弃、背叛。《说文解字》：“倍，反也。”

国有道，其言足以兴；国无道，其默足以容。

天下太平的时候，他的言论足以振奋人心；国政不修、社会混乱的时候，他的静默也足以使他与世相容。

国有道：天下太平。其：他的、他们的。兴：振奋人心，又解作“兴起在位”。容身：指保全自己。容：含纳、收留。

《诗》曰：“既明且哲，以保其身。”其此之谓与！

《诗经》上说：“既明达又智慧，这样就可保全他的生命。”说的大概就是这个样子吧！

《诗》：引自《诗经·大雅·烝民》。周宣王命樊侯仲山甫筑城于齐，而尹吉甫作此诗以送之。明：明理。哲：智慧，指通达事理。傅佩荣说：“明为明察，所知者为现况。哲为智慧，所知指向未来。这两句即是说既明理又多智慧，足以保他自己。”与：同“欤”。置于句末，表示感叹的语气。《论语·学而》：“孝弟也者，其为仁之本与！”

【精解】

礼仪有别

朱熹注解说："礼仪，经礼也。威仪，曲礼也。"依据陈櫱的研究，"礼仪"当为"礼经"之误，因为"仪"即"威仪"，不当重复出现。

"礼之与仪，因自有别。礼是大名，是原则，是纲领，乃治道之总体。其见之于周旋动作者则谓之仪。礼可以统仪，而仪不即等于礼。礼属于体，仪属于用。但一体一用亦互连系耳。"

"古人之于天下国家也，唯以礼治。礼以外，别无所谓政治、法律、仁义、道德。非果其实无政治、法律、仁义、道德也，举礼足以概之也。"

"古人以礼为治之一思想，勿庸讳言其为远古神权社会思想之遗迹。"

《曲礼》是《礼记》中的一篇，"曲"是委曲周到之意，是周代所定的小仪节。《曲礼》原著已亡，现在的《礼记·曲礼》，是汉儒搜集而成，仅有一百余则，杂记春秋前后贵族饮食、起居、丧葬等各种礼制的细节。"礼"和"仪"不同，古人分别得很清楚。

【修辞】

夸饰

“礼仪三百，威仪三千。”前面已提及，现有“曲礼”不过一百余则。“三百”与“三千”，只是形容项目很多，规定很细密，如同朱熹所说的“入于至小而无间也”，不可看作确定数量。李白不是也说“白发三千丈”吗？这是一种“夸张”（或“夸饰”）的表现方式。

张错说：夸饰就是言过其实，为一种修辞手段。文学著作中，作者故意夸张渲染，企图取得先声夺人的戏剧性效果，读者明知不实，但亦甘心为其所惑，以求取得语言背后的真相。（张错《西洋文学术语手册》第133页）

倒装

“大哉！圣人之道！洋洋乎！发育万物，峻极于天。优优大哉！礼仪三百，威仪三千。”三个赞叹之词都移到前面，可以强调其伟大、浩瀚、广大，把倒装的妙处，发挥得淋漓尽致。（参本书《大学》第十章第二节“倒装”）

【会通】

大隐·中隐·小隐

“明哲保身”已成常用成语，原指聪明而有智慧的人能够回避灾祸，保全自己。唐代大诗人白居易说“明哲保身，进退始终，不失其道，自非贤达，孰能兼之？”

杭州在唐代已是风景优美的繁华城市，白居易在那里当过三年刺史，最为愉快，写了很多好诗。穆宗长庆四（公元八二四）年，任期满了，他为了避免卷入牛李党争，要求改任太子左庶子分司东都。唐玄宗天宝以后，皇帝从没到过洛阳，洛阳的分司官形同虚设，他也成了无事可做的高级闲官，五十三岁就已经半退休了。他利用这个机会，把自己的诗文整理成《白氏长庆集》，其中共有二千一百九十一篇诗歌与文章。

大和二（公元八二八）年，白居易被调任刑部侍郎，他为了明哲保身，避免卷入日益激烈的党争，只干了几个月，就请百日病假，假满离开刑部侍郎的位子，次年以太子宾客的名义（同样是个虚设闲官）分派在东都。

洛阳是一个风物雄浑的古都，当时很多名人逸士，如裴度、令狐楚、刘禹锡等都在洛阳。白居易常和他们一起举行文酒之会，过着“逍遥似神仙”的生活。他又回到“半官半隐”的“中隐”生活了。他的《中隐》诗曾说：

大隐住朝市，小隐入丘樊。丘樊太冷落，朝市太嚣喧。
不如作中隐，隐在留司官。似出复似处，非忙亦非闲。
不劳心与力，又免饥与寒。终岁无公事，随月有俸钱……
人生处一世，其道难两全。贱即苦冻馁，贵则多忧患。
唯此中隐士，致身吉且安。穷通与丰约，正在四者间。

“朝市”就是朝廷和市肆，是争名夺利的地方。有大本事的人如汉朝东方朔，可以在朝廷中避开名利，谈笑论政，这是“大隐”。没有野心的人，就躲到山林和丘园间隐居，不问世事，这是“小隐”。白居易认为，“大隐”太吵闹，容易有烦恼，很难做到；“小隐”太冷落，容易挨饿受冻，难以忍受。所以，最好在这两个极端中间，过着整年不必做事却每个月都有官饷可拿的“半官半隐”（或“吏隐”）的生活，他把这种适合自己的隐居方式，称为“中隐”。这“中隐”也正是笔者目前的生活写照。

第二十八章　谨守本位

子曰："愚而好自用，贱而好自专，生乎今之世，反古之道。如此者，及其身者也。"

非天子，不议礼，不制度，不考文。今天下车同轨，书同文，行同伦。虽有其位，苟无其德，不敢作礼乐焉；虽有其德，苟无其位，亦不敢作礼乐焉。

子曰："吾说夏礼，杞不足征也；吾学殷礼，有宋存焉；吾学周礼，今用之，吾从周。"

【语译】

孔子说："愚昧而喜欢固执自己的意见，地位卑下却不守本分，喜欢按自己的主观意图独断专行；生活在今日的世界里，却要恢复古代的办法（强求复古）；这样的人，一定会有灾祸临头的。"

不是居于天子的地位，就不要议定礼制，不要制定律度、量衡、车舆等的标准或工具，不要考正用于书写的文字。如今天下的车子，两轮之间的距离一致，书写的文字相同，遵守相同的伦理道德。虽有天子的地位，如果没有圣人的德性，不敢制作礼乐制度；虽然有圣人的德性，如果没有天子的地位，也不敢制作礼乐制度。

孔子说：“我对夏朝的礼制有相当了解，可以谈论它，但杞国留存的文献已不足以证成我的说法；我学习殷朝的礼制，宋国还残存一些典籍与遗贤；我学习周朝的礼制，它现在还被采用实行着，所以我遵从周礼。”

【详注】

子曰：“愚而好自用，贱而好自专，

孔子说：“愚昧而喜欢固执自己的意见，地位卑下却不守本分，喜欢按自己的主观意图独断专行；

愚：愚昧、无知。而：尚且。自用：固执自己的意见。贱：地位卑下。自专：按自己的主观意志独断专行。

生乎今之世，反古之道。如此者，烖及其身者也。”

生活在今日的世界里，却要恢复古代的办法（强求复古）；这样的人，一定会有灾祸临头的。

乎：介词，相当于“于”。反古：返回古代制度。反：通“返”，引申为恢复。烖：即“灾”。

非天子，不议礼，不制度，不考文。

不是居于天子的地位，就不要议定礼制，不要制定律度、量衡、车舆等的标准或工具，不要考正用于书写的文字。

议礼：议定礼制。制度：制定律度、量衡、车舆等的标准或工具。制：作动词用，制定。度：品制，指度量衡等。考文：原指考正用于书写的文字。

今天下车同轨，书同文，行同伦。

如今天下的车子，两轮之间的距离一致，书写的文字相同，遵守相同的伦理道德。

今：现代。朱注："子思自谓当时也。"车同轨：车轨大小相同，即车之大小相同。轨：车两轮之间的距离。行：行为。(《辞海》："旧读 xìng，今读 xíng。")伦：人伦；指社会中人与人之间的道德关系。朱注："三者皆同，言天下一统也。"

虽有其位，苟无其德，不敢作礼乐焉；

虽有天子的地位，如果没有圣人的德性，不敢制作礼乐制度。

其：代词，他的、他们的。位：地位，特指天子或诸侯之位。苟：假如、如果。

虽有其德，苟无其位，亦不敢作礼乐焉。

虽然有圣人的德性，如果没有天子的地位，也不敢制作礼乐制度。(朱熹引用郑玄的话说："言作礼乐者，必圣人在天子之位。")

子曰："吾说夏礼，杞不足征也；

孔子说："我对夏朝的礼制有相当了解，可以谈论它，但杞国留存的文献已不足以证成我的说法。

夏礼：夏朝的礼制。杞：周代诸侯国，传说周武王封夏禹后代于杞，故址在今河南杞县。征：印证、证成、证明。也：助词，表示判断或肯定的语气。

吾学殷礼，有宋存焉；

我学习殷朝的礼制，宋国还残存一些典籍与遗贤（犹有不足）。

学：研习、学习学问。殷礼：殷朝的礼制。殷：朝代名，商王盘庚从奄（在今山东曲阜）迁都至殷（今河南安阳），因而商也被称为“殷”。有：音节助词置于名词前，作音节的衬字。如：“有夏”、“有清”，并无实义。宋：国名，商汤的后代居于此，故城在今河南商丘南。

吾学周礼，今用之，吾从周。”

我学习周朝的礼制，它现在还被采用实行着，所以我遵从周礼。”

周礼：周朝的礼制，是儒家赞成恢复的理想的社会制度。吾从周：我遵从周礼。之：他、它。朱注：“三代之礼，孔子皆尝学之而能言其意；但夏礼既不可考证，殷礼虽存，又非当世之法，惟周礼乃时王之制，今日所用。孔子既不得位，则从周而已。”（按：“吾学殷礼”与“吾学周礼”的“学”字，一般解作“学习”或“研究”。但“学”字也可解为“说”、“讲述”和“述说”，与“吾说夏礼”的“说”是相通的。）

【精解】

孔子信而好古

本章引用孔子的话，力斥复古，与孔子的平生思想不合。所以可能是伪作。

《论语·述而》："子曰：'述而不作，信而好古，窃比于我老彭。'""不作"和"好古"是孔子对自己一生教学与学术活动的概括，同时也体现出他整理历史文化遗产的原则，与对上古文化的基本态度。朱熹在《论语集注》中说："孔子删《诗》《书》，定《礼》《乐》，赞《周易》，修《春秋》，皆传先王之旧，而未尝有作也。"

夏代

夏，即"夏后氏"。中国历史上第一个朝代。姒姓。传禹本为夏后氏部落领袖，因治水有功，舜死后即位。禹卒，子启杀原定的继承人伯益，传子自此开始，即从部落联盟转化为世袭国家。建都阳城（今河南登封东南）、斟鄩（今河南巩义西南）、安邑（今山西夏县西北禹王城）等地。传到桀，为商汤所灭。共传十四代、十七君。时间据近年学者推定在公元前二〇七〇年到前一六〇〇年。（引自《辞海》）

【修辞】

类叠

“不议礼、不制度、不考文。”“车同轨、书同文、行同伦。”这两小节，就整体形式而言都是“排比”，就部分形式而言，分别间隔使用“不”和“同”三次，是“类叠”。（参本书《大学》“经文”章第一节“排比”、第七章“类叠”）

曲笔

本章“车同轨、书同文、行同伦”九个字的出现，引起很多讨论。很多学者就以这几个字来证明《中庸》的写作时代不可能早于秦代。因为是秦统一天下以后的事。

但蒋伯潜则从行文笔法的观点指出，本章写到“车同轨、书同文、行同伦”与当时的情形相反，只是作者的一种“曲笔”。所谓曲笔，是指写历史的人有所顾忌，不敢据事直书的一种笔法；它也泛指写作中委婉的表达手法。

蒋伯潜说：按许慎《说文解字序》说七国之时，“（田畴异亩），车涂异轨，律令异法，衣冠异制，言语异声，文字异形。”且老庄申商杨墨诸子异学锋起，正是车不同轨，书言不同文，行不同伦，与此处所说相反。本篇所以如此说者不过因春秋之末，东周之共主尚存，而当时之有位者皆无圣人之德，有其德如孔子者，又无天子之位；无德而妄作，便是愚而好自用了；无位而妄作，便是贱而好自专了。这是作者的一种曲笔，而其意则重在有位无德，有德无位，不敢作礼乐数句。不是圣德的人，虽在天子之位，不敢作礼乐。虽有圣德的人，不在天子之位，也不敢作礼乐。（蒋伯潜《四书读本·学庸》第41页）

所谓曲笔，修辞学家又称为“婉曲”。黄庆萱说：“说话或作文时，不直讲本意，只用委婉闪烁的言辞，曲折地烘托或暗示出本意来，叫作‘婉曲’。”

避讳

《论语·八佾》篇：“子曰：‘夏礼吾能言之，杞不足征也；殷礼吾能言之，宋不足征也。文献不足故也。足，则吾能征之矣。’”《史记》言：“子思尝困于宋，作《中庸》。”《中庸》既作于宋，易其文，殆为宋讳乎！礼，居是邑不非其大夫，况宋实为其宗国，则书中辞自宜逊也。（阎若璩《四书释地》）

避讳，指遇有犯忌触讳的事情，不直接说出或写出，而用另一种语言形式或文字来装饰美化。这种曲笔为讳的修辞方式叫作“避讳”，又称讳饰、曲语、曲讳。运用避讳，主要是为了把话说得委婉、曲折，使对方容易接受，不致招惹麻烦。

封建礼法是产生忌讳语的重要原因。随着社会的发展和语言的演变，古代汉语中的这种禁忌语今天已多数不再使用了，因而对这种现象会感到陌生或不可理解。（王占福《古代汉语修辞学》第137页）

【会通】

车同轨、书同文之辩

“车同轨，书同文，行同伦”：车子的轮距一致，字体统一，伦理道德相同。这种情况是秦始皇统一六国后才出现的，所以有些学者认为，据此可以判断《中庸》是秦汉时代儒者的作品。例如劳思光就指出：秦以前各国车乘之制互异；文字亦有差别（中国各国所用文字与秦之文字不同）；一般礼；更是不同。秦统一天下后方强迫统一文字礼制等；这里的话显是秦初儒生所说。本节是《中庸》晚出的确证。除“书同文”等语外，谈及“不议礼”等等，也是秦初儒生口吻。因为秦统一礼制文字以前，并不发生“议礼”、“制度”、“考文”的问题。（劳思光《大学中庸译注》第91页）

也有不少学者认为即使这句话是后代掺入的，但不能据此断定整个《中庸》的写作年代。

陈槃则力排众议，认为“车同轨”这话，在孔子以前就有。而“书同文”也不必太认真去考核。他甚至为此写了专文来考证“车同轨，书同文，行同伦”的来历。他说：

但是《中庸》里头，也有可以使人疑其为晚出的地方，不过也不是绝对的，比如说，“今天下，车同轨，书同文”这好像是秦始皇统一天下以后的话，挪作春秋那个时候来说，颇为不合实际。然而也很难讲，《左传·隐公元年》说：“天子七月而葬，同轨毕至”；《正义》：“郑玄服虔皆以轨为车辄也。王者驭天下，必令车同轨，书同文。同轨毕至，谓海内皆至也。”可见“车同轨”这话，在孔子以前就有。也许实际上不能完全做到，但是对于时王客气一点，挪来粉饰太平，未尝不可。至于“书同文”这话，不必太认真去考究。春秋以前的文字，诚然因时因地有不少的差别，然而总是从“六书”一路发展下来的华夏民族的文字，所以春秋时尽管国别很多，但是朝聘天子，会盟诸侯，文书使节交互往来，没有说彼此之间文字不能通晓的话，可见从大体上说，这就是“同文”了。秦始皇同文的工作，也还是不能彻底，传到现在的秦文字，挪来一看就知道，然而始皇的琅琊台刻石却说：“普天之下……同书文字。”那春秋时候为什么就不可以说？（陈槃《中庸今释叙说》）

第二十九章　征信于民

王天下有三重焉，其寡过矣乎！上焉者虽善无征，无征不信，不信民弗从。下焉者虽善不尊，不尊不信，不信民弗从。故君子之道：本诸身，征诸庶民，考诸三王而不缪，建诸天地而不悖，质诸鬼神而无疑，百世以俟圣人而不惑。质诸鬼神而无疑，知天也；百世以俟圣人而不惑，知人也。

是故君子动而世为天下道，行而世为天下法，言而世为天下则。远之则有望，近之则不厌。

《诗》曰："在彼无恶，在此无射；庶几夙夜，以永终誉！"君子未有不如此，而蚤有誉于天下者也。

【语译】

以君王的身份君临、治理天下，能注意三件重要的事，大概就能减少过错了吧！处在上位的人，虽然行为良善，但是却没有彰显出德望并获得认同。如果没有彰显出德望并获得认同，百姓就不能信服。百姓不能信服，就不会遵从。处在下位的人，虽然行为良善，但是没有尊贵的身份，不尊贵，就难以获得百姓信任，百姓既不相信就不会遵从。所以君子治理天下应该以自身的德性为根本，并从老百姓那里得到验证。以夏、商、周三代先王立下的法则来对照考察，而没有错误。建立在天地之间而不违背天地之理。以占卜向鬼神询问，而未出现难以确定之象。经得起时间考验，留给世世代代的圣哲来批评，也不引起任何疑虑。以占卜向鬼神询问，而未出现难以确定之象，那是因为了解天道的缘故。经得起时间考验，留给世世代代的圣哲来批评，也不引起任何疑虑，那是因为了解人道的缘故。

所以有德者的行为举止，便成为后世天下人遵循的途径；一有所施行，便成为后世天下人效法的模范；一有所论说，便成为后世天下人的准则；离君子远的人仰望他的德行，亲近他的人没有厌倦的时候。

《诗经》说："在那里没有人憎恶，在这里没有人厌恶，但愿你们早起晚睡，勤于政事，永远保持美好的名望。"君子没有不这样做，而能够早早在天下获得名望的。

【详注】

王天下有三重焉，其寡过矣乎！

以君王的身份君临、治理天下，能注意三件重要的事，大概就能减少过错了吧！

王天下：以君王的身份君临天下，治理天下。王（wàng）：作动词用，称王，统治天下。三重：朱熹认为，“三重”指上一章所说的三件重要的事：议定礼制；制定律度、量衡、车舆等的标准或工具；考正用于书写的文字。郑玄注认为，指三王之礼。焉：句末语气助词，表肯定，相当于“也”。其：副词，表推测、估计，相当于“大概”、“或许”。寡过：减少过错。寡：少。过：指错失、错误。矣乎：“矣”、“乎”都是语气助词，用于感叹句末，两字连用，可加强感叹语气。

朱注：“吕氏曰：‘三重，谓议礼、制度、考文。惟天子得以行之，则国不异政，家不殊俗，而人得寡过矣。’”

上焉者虽善无征，无征不信，不信民弗从。

处在上位的人，虽然行为良善，但是却没有彰显出德望并获得认同。如果没有彰显出德望并获得认同，百姓就不能信服。百姓不能信服，就不会遵从。

上焉者：处在上位的人。上：指“在上位”的君主或诸侯而言。焉：句中语气词，同“也”。者：代词，用以指代人、事、物。无征不信：德望未彰显，即不能取信于民。

下焉者虽善不尊，不尊不信，不信民弗从。

处在下位（地位低）的人，虽然行为良善，但是没有尊贵的身份，不尊贵，就难以获得百姓信任，百姓既不相信就不会遵从。

下焉者：处在下位的臣下。虽善不尊：虽有良善行为（有善法，如孔子善于礼法），却不够尊贵（无位）。善：伦理学基本概念，与“恶”相对。

故君子之道：本诸身，征诸庶民，

所以君子治理天下应该以自身的德性为根本，并从老百姓那里得到验证。（这样，就可以避免“虽善无征”与“虽善不尊”两面的困难。）

君子：指王天下的人而言。道：指议礼、制度、考文等要事。本诸身：即以自身的上位（或品德才力、亲身实践、修身）为本。本：以……为根本。诸：相当于“之于”。身：自身，本身、自身的地位、品德才力等。

考诸三王而不缪，建诸天地而不悖，

以夏、商、周三代先王立下的法则来对照考察，而没有错误。建立在天地之间而不违背天地之理。

考：察考、引用、研求。三王：指三代的开国之君夏禹、商汤、周文王。而：连词，表示先后承接的因果或条件关系，相当于“才”、“就”。缪：通“谬”，错误。建诸天地而不悖：建立在天地之间而不违背天地之理（指君子之道符合天地之道）。建：立。天地：天地二字合用，代表自然界。悖：违背。

质诸鬼神而无疑，百世以俟圣人而不惑。

以占卜向鬼神询问，而未出现难以确定之象。经得起时间考验，留给世世代代的圣哲来批评，也不引起任何疑虑。

质：问、询问。鬼神：亡魂与神灵。疑：不分明、难以确定。百世以俟圣人而不惑：就是孟子所谓“圣人复起，不易吾言矣”。百世：过一百代，即后世。世：古称三十年为一世。俟：等待。朱注：“此君子，指王天下者而言。其道，即议礼、制度、考文之事也。本诸身，有其德也。征诸庶民，验其所信从也。建，立也，立于此而参于彼也。天地者，道也。鬼神者，造化之迹也。百世以俟圣人而不惑，所谓圣人复起，不易吾言者也。”

质诸鬼神而无疑，知天也；

以占卜向鬼神询问，而未出现难以确定之象，那是因为了解天道的缘故。

也：助词，表示判断或肯定的语气。朱注：“知天知人，知其理也。”

百世以俟圣人而不惑，知人也。

经得起时间考验，留给世世代代的圣哲来批评，也不引起任何疑虑，那是因为了解人道的缘故。

是故君子动而世为天下道，行而世为天下法，言而世为天下则。

所以有德者的行为举止，便成为后世天下人遵循的途径；一有所施行，便成为后世天下人效法的模范；一有所论说，便成为后世天下人的准则。

动：有所作为、举动。世：指世世代代。天下道：天下共循的途径，指具体地制定礼法、创立制度、考订文字的事务。行：从事、施行。指政治活动。法：法则、效法。言：谈论。则：规范、榜样。

远之则有望，近之则不厌。

离君子远的人仰望他的德行，亲近他的人没有厌倦的时候。

《诗》曰：“在彼无恶，在此无射；

《诗经》说：“在那里没有人憎恶，在这里没有人厌恶，

《诗》：引自《诗经·周颂·振鹭》。这首诗是周王设宴招待来朝参

与助祭的杞、宋二位诸侯（分别是夏与商的后代）时，在宴会唱的迎宾曲。在彼无恶：在所居的封地，没有人憎恨。彼：那里。指诸侯所在国。恶：憎恨、讨厌。在此无射：在这里朝见天子，没有人厌恶。此：这里，与“彼”相对，指周地。射（yì）：同“斁”，厌恶。

庶几夙夜，以永终誉！”

但愿你们早起晚睡，勤于政事，永远保持美好的名望。”

庶几夙夜：希望诸侯早起晚睡（勤于政事）。庶几：但愿，表示希望。夙夜：早晚。（夙夜后面省略了动词）。以：因此。永终：长久。永，长也。终，竟也。永终连用，谓永长其美誉，至于最后而不变也。（于省吾《新证》：“永终古人謰语，终亦永也。“誉”“与”古通……以永终誉，应读作“以永终与”，与即欤，虚词。”）

君子未有不如此，而蚤有誉于天下者也。

君子没有不这样做，而能够早早在天下获得名望的。

蚤：通“早”。

【修辞】

互文

朱熹所谓“动，兼言行而言。道，兼法则而言”，指出动、言、行三者的效果都一样。动即言行，道即法则。隐含的意思是，行也是天下的道与则，言也是天下的道与法。这是一种省略式的互文修辞。（参本书《大学》第三章“互文”）

联珠

“上焉者虽善无征，无征不信，不信民弗从；下焉者虽善不尊，不尊不信，不信民弗从。”（参本书《大学》“经文”章第二节“联珠”）

排比

“是故君子动而世为天下道，行而世为天下法，言而世为天下则”。（参本书《大学》“经文”章第一节“排比”）

【会通】

如何解释“上”、“下”二字？

“上焉者虽善无征，无征不信，不信民弗从；下焉者虽善不尊，不尊不信，不信民弗从。”这一段文字中，“上焉者”与“下焉者”二语，有不同解法。

朱注：“上焉者，谓时王以前，如夏、商之礼，虽善，而皆不可考。下焉者，谓圣人在下，如孔子，虽善于礼，而不在尊位也。”（时王，指周王。）这是以时代来解释“上”、“下”二字，也就是将“上焉者”解成“上古的”，“下焉者”解成“目前的”。用这种说法来解释“上焉者，虽善无征”是很顺的，但用来解“下焉者，虽善不尊”便不合理；因为“不尊”当然是指“位”说。因此本书跟目前多数注本一样，把“上”、“下”看作地位的高低，“上焉者”指“在上位”，“下焉者”指“在下位”。

第三十章　寻求标杆

仲尼祖述尧舜，宪章文武；上律天时，下袭水土。辟如天地之无不持载，无不覆帱；辟如四时之错行，如日月之代明。万物并育而不相害，道并行而不相悖。小德川流，大德敦化。此天地之所以为大也。

【语译】

孔子效法尧舜的圣德，并加以传述，他也遵循周文王和周武王的典章制度。他往上观察自然变化的规律，并遵循取法。往下顺应山川国土的特性，予以因袭。他就像天地那样，没有什么事物不能承载，没有什么东西不能覆盖。又好像四季的交错运行，日月的交替光明。万事万物一起养育于天地之间，而且不互相侵犯；各行其道而不互相违背，维持生态平衡。小的德行如溪水一样长流不息，大的德行则仁爱敦厚，化生万物。这就是天地伟大的缘故！也是孔子伟大的缘故！

【详注】

仲尼祖述尧舜，宪章文武；

孔子效法尧舜的圣德，并加以传述，他也遵循周文王和周武王的典章制度。

祖述：宗奉、遵循前人的行为或学说而加以效法。祖：承袭（用作动词）。述：遵循、传承。宪章：遵从、效法，又指典章制度。宪：典范、效法。

上律天时，下袭水土。

他往上观察自然变化的规律，并遵循取法。往下顺应山川国土的特性，予以因袭。

律：古代用竹管或金属管制成的定音仪器，以管的长短确定音阶高低，亦用作测候季节变化的仪器。故以律代表乐律、气候及时令。引申为遵循、取法。天时：自然变化的时序。袭：继承、沿袭。水土：山川、国土。

辟如天地之无不持载，无不覆帱；

（他）就像天地那样，没有什么事物不能承载，没有什么东西不能覆盖。

辟：通“譬”，譬喻、比方。《墨子·小取》：“辟也者，举他物而以明之也。”持载：持守承载。覆帱（dào）：覆盖、覆被、遮盖。帱：帐。

辟如四时之错行，如日月之代明。

又好像四季的交错运行，日月的交替光明。

四时之错行：四季依次交互替换运行。错：互。代明：交替照耀。代：接替。

万物并育而不相害，道并行而不相悖。

万事万物一起养育于天地之间，而且不互相侵犯；各行其道而不互相违背，维持生态平衡。

而：连词，表示递进、增加关系，相当于“而且”、“而又”、“尚且”。相害：相，共、交相。害，侵犯、妨碍。相悖：相违背。

小德川流，大德敦化。

小的德行如溪水一样长流不息，大的德行则仁爱敦厚，化生万物。

川流：河水流动。比喻层见迭出，盛行不衰。敦化：仁爱敦厚，化生万物。敦：诚恳、忠厚。

此天地之所以为大也。

这就是天地伟大的缘故！也是孔子伟大的缘故！

之：的。所以：缘故、理由。

【修辞】

譬喻和映衬

本章应用了两种修辞技巧。“辟如”和“如”是“譬喻”词。“上、下”和“大、小”是“映衬”（对比）。（参本书《大学》“经文”章第一节、第三节）

【会通】

标杆

至诚的人，可以参透天地的玄机，所以最后可以与天地并列。至圣即至诚，至诚即天地之化育。这一章文字把孔子讲得太完美了。所以很多今注本，翻译讲解不到一半，主词就不见了，好像“譬如”以下的文字，都只是在讲天地的伟大，与孔子并不相干。

我们今天读这一章，重点不在孔子是否真的那么完美，而在他趋近完美的过程。他在祖述、宪章之后，并没有停留在模仿的阶段。他站在巨人的肩膀上，继续观察思考，继续走他自己的路，继续化育。

他找到了自己的学习标杆，他自己也成了后世千千万万人的学习标杆。

生而为现代人，我们何其有幸，有古今中外那么多的典范，可以做我们的学习标杆。我们可以设身处地，设想天地之间的第一等人物的思想与作为。

面对困难问题时，我们应当自问：佛陀会怎么想？孔子会怎么想？富兰克林会怎么想？林肯会怎么想？爱迪生会怎么想？甘地会怎么想？爱因斯坦会怎么想？彼得·德鲁克会怎么想？乔布斯会怎么想？

有了这么多典范和顾问，我们再也不用彷徨了，也再没有放弃的理由了。

第三十一章　最高境界

唯天下至圣，为能聪明睿知，足以有临也；宽裕温柔，足以有容也；发强刚毅，足以有执也；齐庄中正，足以有敬也；文理密察，足以有别也。

溥博渊泉，而时出之。溥博如天，渊泉如渊。见而民莫不敬，言而民莫不信，行而民莫不说。

是以声名洋溢乎中国，施及蛮貊。舟车所至，人力所通，天之所覆，地之所载，日月所照，霜露所队，凡有血气者，莫不尊亲，故曰配天。

【语译】

只有全天下道德智能最高的人，才是耳聪目明、眼光远大、思虑深远，有资格居于上位，面对百姓，管理众人之事。宽大为怀，和颜悦色，性情柔和，就能做到有容乃大，足以容纳外物，实行仁道。奋发振作，意志坚强，就能勇于坚持立场。举止端庄，容颜整齐，行为正直，就能做事严肃认真，获得敬重。仔细考察礼仪，可以做到上下有差别，长幼有秩序。

（至圣的德性）周遍广远，如同深泉，细密深藏，而又源源不断流露。圣人的德性，广大如天，深静如渊。他出现时，百姓无不敬畏；他说话时，百姓无不相信；他采取行动时，百姓无不喜悦。

因而名声遍布全中国，也延续到边疆未开化地区。车船所到的地方，人力所能通行的地方，天空所覆盖的地方，大地所承载的领域，日月照耀的地方，霜露降落的地方。凡是有生命的人，无不尊敬、亲近他。所以说圣人的美德能与天相配。

【详注】

唯天下至圣，为能聪明睿知，足以有临也；

只有全天下道德智能最高的人，才是耳聪目明、眼光远大、思虑深远，有资格居于上位，面对百姓，管理众人之事。

至圣：指道德智能最高的人、至高无上的圣人，也是对孔子的尊称。至：极、最高的、最好的。为：表示判断，相当于“是”。聪明：耳聪目明，即听觉、视觉灵敏、有智能。睿知：思虑深广，明智。睿（ruì）：通达，思虑广远。知：同“智”，聪明、有智慧。足以：足够做某件事、配得上。临：居高临下，即鉴察、君临之意，临政即执掌朝政。

宽裕温柔，足以有容也；

宽大为怀，和颜悦色，性情柔和，就能做到有容乃大。

宽：宽大、宽容、肚量大、舒缓。裕：丰富、宽宏。温柔：颜色温润，性情柔和。有容：有所包容，足以实行仁道。

发强刚毅，足以有执也；

奋发振作，意志坚强，就能勇于坚持立场。

发强：振作奋发。发：表现、显露。强：壮健、强盛。刚毅：刚强坚毅，形容意志坚强。刚：坚硬、坚强。毅：果断、勇敢。执：持守（如“择善固执”）、掌理（如“执政”）、坚守原则。

齐庄中正，足以有敬也；

举止端庄，容颜整齐，行为正直，就能做事严肃认真，获得敬重。

齐庄：（1）严肃庄重（“齐”同“斋”，音 zhāi）。（2）整齐庄严（“齐”照本音读为齐 qí），陈槃说：齐，向来读作“斋”。其实可以照本音读。《管子·形势解》说“整齐严庄”，省称就是“齐庄”了。中正：正直、居中守正。敬：恭敬、尊重（做事严肃认真，不苟且为敬）。

文理密察，足以有别也。

仔细考察礼仪，可以做到上下有差别，长幼有秩序。

文理：礼仪。（朱熹把“文理”解为“文章、条理”）密察：缜密明晰。密：详细。察：明辨。别：区分、差别。

溥博渊泉，而时出之。溥博如天，渊泉如渊。

（至圣的德性）周遍广远，如同深泉，细密深藏，而又源源不断流露。圣人的德性，广大如天，深静如渊。

溥博：周遍广远。孔颖达疏：“溥，谓无不周遍，博，谓所及广远。”渊泉：深泉、指静深而有本源。后引申为思虑深远。渊：深的样子。泉：

表示静。而时出之：而且随时流出（表现出来）。而：表示递进，如同“并且”。出：表现出来。

见而民莫不敬，言而民莫不信，行而民莫不说。

他出现时，百姓无不敬畏（他的威仪）；他说话时，百姓无不相信；他采取行动时，百姓无不喜悦。

见：同“现”，显现、出现。而：表示先后承接，相当于“就”、“然后”。（与前句的“而”不同。）莫：无、没有。信：相信。说：同“悦”，愉快、喜悦。

是以声名洋溢乎中国，施及蛮貊。

因而名声遍布全中国，也延续到边疆未开化地区。

是以：因此，所以。声名：名声。洋溢：充满、广泛传播。乎：介词，相当于“于”。施（yì）：延续、延及、影响之意。及：至、到。蛮貊：指边疆未开化地区。蛮：亦称南蛮。貊（mò）：古代对东北地区少数民族的称呼。《论语·卫灵公》：“言忠信，行笃敬，虽蛮貊之邦行矣。”可见孔子认为自己的学说有其普遍性。

舟车所至，人力所通，天之所覆，地之所载，

车船所到的地方，人力所能通行的地方，天空所覆盖的地方，大地所承载的领域。

舟车（jū）：船和车。所：用在动词之前，构成名词性词组，指代人或事物。所至，就是所到的地方。人力所通：人力所能通达的地方。人力：人的力量、人的劳力。通：到达、贯通、由此端至彼端，中无阻隔。也指有路可以到达。天：天空。之：助词，相当于“的”。覆：覆盖

(的范围)。地：大地，与“天”相对。载：负荷、承载。

日月所照，霜露所队，凡有血气者，莫不尊亲，故曰配天。

日月照耀的地方，霜露降落的地方。凡是有生命的人，无不尊敬亲近他。所以说圣人的美德能与天相配（即前文“与天地参”)。

照：照耀。队(zhuì)：同“坠”，坠落。凡：凡是、所有的。血气：血和气，指生命、元气、精力。尊：尊重、尊崇。亲：爱、亲近。配：相当、匹配。

【修辞】

排比

“见而民莫不敬，言而民莫不信，行而民莫不说。”由三个结构相同的句子逐一排列，是典型的“排比”。(参本书《大学》“经文”章第一节“排比”)

类叠

本章有一段间隔出现五个“足以”，又有一段间隔出现六个“所”，都是使用类叠修辞法。(参本书《大学》第十章第“类叠”)

【会通】

至圣

至圣，指道德智能最高的人，也专指孔子。《史记·孔子世家》：“自天子王侯，中国言六艺者折中于夫子，可谓至圣矣。”

唐玄宗开元二十七年，追谥孔子为文宣王。这是孔子封王之始。宋王应麟《困学纪闻·考史六》：“宋祥符元年，幸曲阜，谒文宣王庙，谥玄圣文宣王；五年，改谥至圣（文宣王）。”翁元圻注引明世宗十礼部议曰：“人以圣人为至，圣人以孔子为至。宋真宗称孔子为至圣，其意已备。”元武宗至大元年，加孔子谥为大成至圣文宣王。明世宗嘉靖九年张璁请正祀典，从之。《国朝祀典说》曰：“孔子之道，王者之道也，特其位非王者之位耳。孔子当时，诸侯有僭窃者。皆口诛而笔伐之。其生也如此。今乃不体其志，而竟加以王乎？岂善于尊崇者哉！于是通行天下，改大成至圣文宣王至圣先师。”

第三十二章　天下至诚

唯天下至诚，为能经纶天下之大经，立天下之大本，知天地之化育。夫焉有所倚？肫肫其仁！渊渊其渊！浩浩其天！苟不固聪明圣知达天德者，其孰能知之？

【语译】

只有全天下最真诚的人，才能处理国家大事，经营筹划各种制度，建立行为规范，确立天下人道、人性的本源，并且了解天地的造化及养育方式。他哪有什么外在的倚靠呢？他表现仁德，以诚恳真挚的态度与人相亲相爱，他的修养沉静深邃，如同深深的潭水！他心胸广阔，如同那无边无际的浩浩长天！如果不是本来就很聪明，有崇高的品德智慧，并且德性达到能与天匹配水平的人，又有谁能知道它（至诚之道）呢？

【详注】

唯天下至诚，为能经纶天下之大经，

只有全天下最真诚的人，才能处理国家大事，经营筹划各种制度，建立行为规范。

唯：只有。至诚：最真诚的人，参第二十二章。为：表示判断，相当于“是”。经纶：整理丝缕。理出丝绪为经，编丝成绳为纶。引申为处理国家大事。大经：常道、常规。经：常、伦常。（朱子认为，大经指君臣、父子、兄弟、夫妇、朋友等五种伦常。惟有圣人的德性至诚无妄，才能够恰如其分地实践五伦，也都能被天下后世所效法，这就是所谓经纶。大经若解释为第二十章“凡为天下国家有九经”的九项大纲，亦通。）

立天下之大本，知天地之化育。

确立天下人道、人性的本源（即“中”或至诚本性），并且了解天地的造化及养育方式。

立天下之大本：修养达到最高境界，即进入至诚无妄的境界。立：确立、建立、奠定。大本：人道，人性的本源、本体。第一章说：“喜怒哀乐之未发，谓之中；发而皆中节，谓之和。中也者，天下之大本也。”朱注：“大本者，天命之性，天下之理皆由此出，道之体也。”朱子认为，大本就是人所秉受的本性整体。圣人的本性，至诚而没有人欲的虚伪混杂，天下千变万化的道理都由此建立。劳思光说：圣人自己成德，即为天下之根本。“大本”即“最后的根本”。显然这就是说修身成德为天下之本。知天地之化育：圣人之智，洞见宇宙万物之理，所以知天地之化育。（参第二十二章“能尽物之性，可以赞天地之化育”。）

夫焉有所倚？

他哪有什么外在的倚靠呢？

夫焉：岂有。夫，语气助词，表示发端，一般用于引起议论。焉：疑问代词，相当于“何”、“什么”。倚：依靠、凭借。

肫肫其仁！渊渊其渊！浩浩其天！

他（实践五伦）表现仁德，以诚恳真挚的态度与人相亲相爱。他（建立大本）的修养沉静深邃，如同深深的潭水。他（知天地化育）心胸广阔，如同那无边无际的浩浩长天！

肫肫（zhūn）：诚恳真挚的样子，指“经纶天下之大经”而言。其：助词，在单音节形容词（或象声词）之前，发挥加强形容、状态的作用。仁：与人相亲相爱的德性。渊渊：深广、深邃，静穆的样子。指“立天下之大本”而言。渊：深潭、回旋之水。浩浩：原指水势盛大，引申为广远、无边无际。指“知天地知化育”而言。

苟不固聪明圣知达天德者，其孰能知之？

如果不是本来就很聪明，有崇高的品德智慧，并且德性达到能与天匹配水平的人，又有谁能知道它（至诚之道）呢？

固：本来、稳固、实在的。聪明：有才智。圣：品德崇高、通达事理。知：同“智”。达天德者：达到能与天的德行匹配水平的人。天德：天的德行，指自然界的造化之功。天：万物主宰者。者：人或事物的代称。之：第三人称代词，这里指“至诚”的道理。但郑玄说“唯圣人能知圣人”，则“之”指圣人。朱熹采此说。蒋伯潜也说：“惟英雄能识英雄，惟圣人能知圣人；所以说如果不是本来聪明圣知，通达天德的人，谁能知道他呢？”

【修辞】

设问：自问自答

什么叫作“设问”修辞法？陈望道说：“胸中早有定见，话中故意设问，叫作设问。”董季棠说：“作者想要表达的意思，不作普通的叙述，而用询问的口气显示，使文章激起波澜，让读者格外注意。这种修辞法叫作设问。”

“夫焉有所倚？肫肫其仁！渊渊其渊！浩浩其天！”

第一句是为了提起下文而发问，答案就在问题的下面。这种设问，又称“自问自答”。贺知章的《咏柳》也使用这种技巧。

反问：明知故问

“苟不固聪明圣知达天德者，其孰能知之？”

这不是自问自答，而是有问无答，是一种“反问”的表达方式。

反问，又叫诘问、激问或反诘。就是用疑问的语气来表达确定的内容的一种修辞方法。它问，但问而不答，也不用对方回答。它是无疑而问，其答案就在它的反面。反问，由于总是采取不容置疑的语气来表达确定的内容，这可以使重要的内容得到强调突出，并能有力地激发人们进一步思考问题；又使作品气势峭劲，挺拔有力，易于感人。（参本书《大学》第三章“反问”）

排比

“经纶天下之大经，立天下之大本，知天地之化育。”三大要点并列，是标准的“排比修辞法”。（参本书《大学》“经文”章第一节“排比”）

叠字

“肫肫其仁！渊渊其渊！浩浩其天！”连用三次叠字，加强了赞叹的语气。（参本书《大学》第十章第一节“叠字”）

【会通】

司马迁赞辞（《史记·孔子世家》）

太史公曰：《诗》有之：“高山仰止，景行（xíng）行止。”虽不能至，然心向往之。余读孔氏书，想见其为人。适鲁，观仲尼庙堂、车服、礼器，诸生以时习礼其家，余低回留之，不能去云。天下君王至于贤人众矣，当时则荣，没则已焉。孔子布衣，传十余世，学者宗之。自天子王侯，中国言六艺者，折中于夫子，可谓至圣矣！

第三十三章　内敛含光

《诗》曰："衣锦尚絅"，恶其文之著也。故君子之道，闇然而日章；小人之道，的然而日亡。君子之道，淡而不厌，简而文，温而理。知远之近，知风之自，知微之显，可与入德矣。

《诗》云："潜虽伏矣，亦孔之昭！"故君子内省不疚，无恶于志。君子之所不可及者，其唯人之所不见乎！

《诗》云："相在尔室，尚不愧于屋漏。"故君子不动而敬，不言而信。

《诗》曰："不显惟德！百辟其刑之。"是故君子笃恭而天下平。

《诗》曰："奏假无言，时靡有争。"是故君子不赏而民劝，不怒而民威于鈇钺。

《诗》云："予怀明德，不大声以色。"子曰："声色之于以化民，末也。"《诗》曰："德輶如毛"，毛犹有伦。"上天之载，无声无臭"，至矣！

【语译】

《诗经》上说：“穿着锦衣华服，上面再加上外套。”这样做是因为不喜欢花纹太鲜艳了。所以君子的作风是：不求光芒外露，但是内在的优点还是会显现出来。小人的作风是：亮丽却日渐消失，虚有其表，没有内在美。君子的作风是：信守中庸之道，似乎平淡，但亲切有真味，使人不厌。简洁而有文采，柔和而不乱。知道见于远处的，是由近处开始。明白流传于世的社会风尚、习俗、道德等是如何演变而来。知道隐微的细节，可以反映显著的事实。这样就可以进入道德的门坎了。

《诗经》上说：“鱼虽然潜伏很深，仍然明澈而可见。”所以君子反省自己而内心没有愧疚，心意也可以坦然无憾。君子让常人无法相比的地方，可能就在于别人看不到的地方吧！

《诗经》上说：“看你独处于你自己的室内，屋子西北角幽暗之处，虽然没有人看见，却仍然像是有神在暗中看着，而不愧于天。”所以，君子没有刻意表现，别人就尊敬他，没有说话，别人就相信他。

《诗经》说：“惟有德行教化才会显扬四方，百官诸侯都效法他的作为。”所以有德者若是笃厚恭敬，天下就会太平。

《诗经》上说：“在一起默默祷告，这时没有争论，一片肃敬。”因此，有德者以德化人，不须以奖赏利诱，就能勉励人民，不须发怒就比动用刑具、兵器还有威严。

《诗经》上说："我眷念你（文王）的美德，你不会以疾言与厉色对下，以权势压人。"孔子说："用声音与脸色来教化人民，只是细微末节的手段。"《诗经》上说："德性轻如羽毛。"羽毛虽是细物，都还有形体可以模拟。《诗经》上又说："宇宙的运行，没有声息气味显现。"这可说是最高境界了。

【详注】

《诗》曰："衣锦尚絅"，恶其文之著也。

《诗》上说："穿着锦衣华服，上面再加上外套。"这样做是因为不喜欢花纹太鲜艳了。

《诗》：这四个字，不见于《诗经》，可能是逸诗。衣（yì）：作动词用，指穿衣。锦：指鲜艳华美的衣服。尚：上也，"加于上"的意思。絅 jiǒng：古人用麻布做的单罩衣，现代的外套。恶（wù）：厌恶。文：彩色交错。著：显著。

故君子之道，闇然而日章；

君子所信守的中庸之道，不求光芒外露，但是内在的优点（德）还是会显现出来。

闇：幽暗。章：同"彰"，明显、显著。而：却、但是。表示转折，用于词、短语、分句或上下两句之间，转折意味较"然"为轻，相当于"但是"、"却"等。

小人之道，的然而日亡。

小人的作风是：亮丽却日渐消失，虚有其表，没有内在美。

的然而日亡：亮丽却日渐消失。指小人虚有其表，没有内在美。的（dí），明、鲜明（据《说文》，应作“旳”）。日：每天。亡：失去、消失。

君子之道，淡而不厌，简而文，温而理。

君子信守中庸之道，似乎平淡，但亲切有真味，使人不厌。简洁却又有文采，柔和却又不乱。

淡：淡薄、恬静。厌：讨厌、厌恶。文：文采。温：柔和。理：有条理。指君子之道，如衣锦而美在其中。

知远之近，知风之自，知微之显，可与入德矣。

知道见于远处的，是由近处开始。明白流传于世的社会风尚、习俗、道德等是如何演变而来。知道隐微的细节，可以反映显著的事实（内在的修养会表现在外），这样就可以进入道德的门坎了。

风：风俗。之：介词，的、之于。自：始。与：同“以”。朱注：“远之近，见于彼者由于此也。风之自，著乎外者本乎内也。微之显，有诸内者形诸外也。”俞樾《古书疑义》则认为，三个“之”字是连词，作“与”解，而“风”通“凡”，“自”则为“目”之误，所以整句应解为“知远与近，知凡与目（事有巨细），知微与显，可与入德矣。”

《诗》云：“潜虽伏矣，亦孔之昭！”

《诗经》说：“鱼虽然潜伏很深，仍然明澈而可见。”

《诗》云：《诗经·小雅·正月》。潜：没入水中活动。伏：隐匿、隐蔽、看不见。孔：很、甚。昭：同“炤”，明显。矣：助词，表示已然的事。

故君子内省不疚，无恶于志。

所以君子反省自己而内心没有愧疚，心意也可以坦然无憾。

内省：自我观察与反省。疚：内心痛苦。无恶于志：无愧于心。恶：害。志：心意、志向。

君子之所不可及者，其唯人之所不见乎！

君子让常人无法相比的地方，可能就在于别人看不到的地方吧！

《诗》云："相在尔室，尚不愧于屋漏。"

《诗经》说："看你独处于你自己的室内，屋子西北角幽暗之处，虽然没有人看见，却仍然像是有神在暗中看着，而不愧于天。"

《诗》：引自《诗经·大雅·抑》。相（xiàng）：看。有省察之意。尔：你，指君子。尚：副词，仍然、差不多。愧：以……为耻、认为耻辱。于：在。屋漏：古代室内西北隅施设小帐，安藏神主，为人所不见的地方称作"屋漏"。郑玄说："屋，小帐也；漏，隐也。"后即用以泛指屋之深暗处。另一说，屋漏系指室中神明。

故君子不动而敬，不言而信。

所以，君子没有刻意表现，别人就尊敬他，没有说话，别人就相信他。

《诗》曰："奏假无言，时靡有争。"

《诗经》上说："在一起默默祷告，这时没有争论，一片肃敬。"

《诗》：引自《诗经·商颂·烈祖》。奏假：在一起祷告。奏：进言、进献。“奏”,《诗经》原作“鬷”(zōng),聚集的意思。假(gé):通“格”,告、祷告。无言:敬肃也。时:当时。靡(mí):无。争:争议、争论、争夺。(按:此处引《诗经》文字,仅断章取义,原文意思是说:神灵降临时,虽然没有言语,但人们受其感化,肃敬而没有争论。)

是故君子不赏而民劝,不怒而民威于鈇钺。

因此,有德者以德化人,不须以奖赏利诱,就能勉励人民,不须发怒就比动用刑具、兵器还有威严。

劝:奋勉。威:畏。鈇钺:古代的杀人器具。鈇(fǔ):通“斧”,斩草的大刀(通常叫“铡刀”),也是斩人的刑具。钺(yuè):古代兵器,形状像大斧,青铜制,圆刃或平刃,安装木柄,持以砍斫。盛行于商及西周。

《诗》曰:“不显惟德!百辟其刑之。”

《诗经》说:“惟有德行教化才会显扬四方,百官诸侯都效法他的作为。”

《诗》:引自《诗经·周颂·烈文》。不显:大大显扬。不(pí):同“丕”,大的意思。显:光明、显扬。朱注:“不显,岂不显也,此借引以为幽深玄远之意。”惟:语助词。辟(bì):诸侯、百官。刑:铸造器物的模子,后作“型”,引申为效法,即“以……为典范”。之:代词,他。

是故君子笃恭而天下平。

所以有德者若是笃厚恭敬,天下就会太平。

笃:厚。恭:恭敬、谦慎有礼。

《诗》云:“予怀明德,不大声以色。”

《诗经》上说："我眷念你（文王）的美德（光明的德行），你不会以疾言与厉色对下，以权势压人。"（这两句是天帝对文王说的话）

《诗》：引自《诗经·大雅·皇矣》。予：我（指天帝自称）。怀：心里存有、眷念、珍惜。明德：指文王的美德。大声以色：依赖疾言与厉色。

子曰："声色之于以化民，末也。"

孔子说："用声音与脸色来教化人民，只是细微末节（最差）的手段。"

以：用以、依赖、凭借。色：脸上的神色。之于：结构助词，可以表示关系和态度。以化民：用来教化人民。以：令、使。末：细微末节。

《诗》曰："德輶如毛"，毛犹有伦。

《诗经》上说："德性轻如羽毛。"羽毛虽是细物，都还有形体可以模拟。

《诗》：引自《诗经·大雅·烝民》，前后文为："人亦有言：德輶如毛，民鲜克举之。"輶（yóu）：轻的意思。伦：同类、条理、顺序。

"上天之载，无声无臭"，至矣！

《诗经》上又说："宇宙的运行，没有声息气味显现。"这可说是最高境界了。

引自《诗经·大雅·文王》载：承受、事，引申为从事、运行。（郑注读作"栽"，是说天栽生万物。）臭（xiù）：气味。非指香臭之臭（chòu）。至：达到极点。矣：语气词，表示已然或必然，相当于"了"。

【精解】

“不愧于屋漏”

朱子此条章句云：“相，视也。屋漏，室西北隅也。承上文又言君子之戒慎恐惧，无时不然”。郑注：“君子虽隐居，不失其君子之容德也。……视女（汝）在室独居者犹不愧于屋漏。屋漏，非有人也，况有人乎？”案二氏之注当合看。然君子隐居与西北屋漏之义，则犹使人未了。李慈铭曰：“古人床在北牖。居室之西北，其上有囱（窗）以取明，曰屋漏。言日光所穿，故曰‘当室之白’以日夕寝处其下，故曰仰不愧于屋漏，即独处不愧衾之意。”李说较为明白。（陈槃《大学中庸今释》）

谁是谁

中国人的人格如此发展于人文环境之中，耻感取向，紧紧控制住一言一语、一举一动。心中时时有他人的存在（而无神的存在）即在离群索居之时，亦复如是。常将实际并无他人存在的情境，视为有他人存在的情境。此即儒家所倡导的“慎独”功夫，君子不欺暗室，无愧屋漏。中国人有所行为之时，脑内首先要考虑的不是什么是什么（what is what）的问题，而是谁是谁（who is who）的问题。（朱岑楼《从社会个人与文化的关系论中国人性格的耻感取向》引自《中国人的性格》第 112 页）

最后的叮咛

朱注:“右第三十三章，子思因前章极致之言，反求其本，复自下学为己谨独之事，推而言之，以驯致乎笃恭而天下平之盛。又赞其妙，至于无声无臭，而后已焉。盖举一篇之要，而约言之，其反复丁宁示人之意，至深切矣。学者其可不尽心乎！”

【修辞】

借代

“衣锦尚絅”，锦，本是一种色彩鲜艳、有各种花纹图案的丝织品。这里指鲜艳华美的衣服。以“锦”指代“锦衣”，这是一种“借代”。

鈇钺本是古时军中戮人所用之兵器，后来沿用作“刑戮”之义。这是借代，以兵器、刑具代替“杀戮”的意思。(参本书《中庸》第十章“借代”。)

倒装

“大声以色”即“以色大声”，这是以倒装的修辞方式，使声韵的整齐(“色”与“德”字同韵)。(参本书《大学》第十章第二节“倒装”)

【会通】

天道难知

《中庸》以“‘上天之载，无声无臭’，至矣”结尾，意义极为深长。《毛诗》注解说："天之道难知也，耳不闻声音，鼻不闻香臭。"大意是说：天道的作为人类难以认识，用耳朵去听无法完全听得懂，用鼻子去闻也无法完全嗅出其气味。有些译本把"无声无臭"译为"无声音可听，无气味可闻"则不够周延。因为上天的运行透过能量、动力、化学、物理、生物等变化表现出来，当然有声音、也有味道，但是由于其范围太广（如频率、振幅、方向、距离），只是人类的感官无法完全测知而已。由此可见，《毛诗》注解用"难知"描述"天之道"，是有科学根据的。

"暗物质"和"暗能量"

我们目前能观察到的这个宇宙，其实是"泡在"某种未知的物质和能量中。科学家们发现，我们目前所能观察到的恒星、行星或热气体无法维持宇宙星系的正常运行。根据理论计算，目前我们所能观察到的只占宇宙总质量的 4%。另外 96% 的物质和能量既摸不着也看不到，目前任何仪器都探测不到，科学家就把它们叫作"暗物质"和"暗能量"。(加来道雄《未来物理学》)

润物细无声

春夜喜雨 〔唐〕杜甫

好雨知时节，当春乃发生。随风潜入夜，润物细无声。

野径云俱黑，江船火独明。晓看红湿处，花重锦官城。

【语译】

好孩子，你来了，来得及时，来得有情有义。你在春天万物复苏，正需要雨水滋润时，该来的时候就来了。你轻飘飘地，随风悄悄地飘洒、暗暗地飘洒，不想惊扰人们夜间的休息，也不想妨碍人们白天的耕作，真是可爱。你懂得春天里万物刚刚萌芽，叶小苗嫩，禁不住暴雨的摧残，因而才这般轻柔细软，倍加小心。而这一切，又都是在暗中默默无声地进行的，真是为善不欲人知，心胸开阔，虽有润物之功却无意占有润物之名，我非常欣赏。当你飘洒之时，野外的一切景物和天空的乌云都笼罩在黑暗之中，只见远处的江面上闪烁着一点明亮的渔火。我想象一夜春雨之后，明天清晨，经过细雨浸润的花朵饱含晶莹的水珠，沉甸甸地，迎着分外明丽的阳光，一定更加娇艳，锦官城一定更加春意盎然了。雨儿呀，好样的，你泽及了万物，也泽及了万民。